ÉTONNANTiss!mes

ÉTONNANTiss!mes

RAYMOND JEAN

Mademoiselle Bovary

Présentation et dossier
par Delphine URBAN

Flammarion

 Les extraits de la *Correspondance*
de Flaubert sont reproduits d'après l'édition Conard (1926-1930).
Étonnantissimes, une série de la collection
« Étonnants Classiques »
ISBN : 978-2-0813-1387-3

Avant de commencer

S'il existe dans le roman de Flaubert plusieurs personnages susceptibles de s'appeler Mme Bovary (la mère de Charles, sa première femme puis l'héroïne éponyme Emma), un seul peut être désigné par l'expression « Mlle Bovary ». Berthe, fille unique de Charles et d'Emma, intervient dans la seconde moitié du roman de Flaubert et y occupe jusqu'à son terme un rôle de figuration. Emma est plus une amoureuse qu'une mère ; déçue de ne pas avoir mis au monde un garçon, elle se désintéresse la plupart du temps de sa fille, que Flaubert lui-même finit par abandonner chez une tante, alors que tous ses autres proches, parents et grands-parents, sont morts ou paralysés. La tante « est pauvre et l'envoie, pour gagner sa vie, dans une filature de coton [1] ».

La misère de Berthe vient parachever le malheur de sa mère. L'enfant ne sera pas instruite, ne lira pas de romans sentimentaux et finira sans doute par épouser un homme de sa condition.

---

1. Flaubert, *Madame Bovary*, Flammarion, coll. « Étonnants Classiques », 2013, p. 453.

Cette suite inévitable de l'histoire, Flaubert ne l'a pas écrite.

Son roman a engendré de nombreux textes : les actes du procès qui fut intenté à l'auteur pour « outrage à la morale publique et religieuse et aux bonnes mœurs[1] », bien sûr, mais aussi des articles, des œuvres critiques entièrement consacrées à en explorer les enjeux biographiques, sociologiques, linguistiques, psychanalytiques… et même des romans[2], récritures de l'œuvre originale.

Parmi les lignes narratives offertes par le romancier, celle esquissée autour de Berthe constitue une tentation romanesque certaine, à laquelle Raymond Jean succombe pour sa récriture.

Raymond Jean, amateur de récritures

Professeur de littérature à l'université d'Aix-en-Provence, Raymond Jean (né à Marseille en 1925 et décédé le 3 avril 2012) est l'auteur d'une quarantaine d'œuvres appartenant aux genres du récit et de l'essai, et dont l'unité singulière se constitue autour des déclinaisons du plaisir. Plaisir du texte et plaisirs des sens s'associent dans ces pages où l'érudition côtoie l'érotisme. De séduisantes jeunes femmes s'y passionnent pour la lecture : on pense bien sûr à *La Lectrice* (1986), roman rendu célèbre par le film qu'en a réalisé Michel Deville avec la mutine

1. Voir dossier, p. 118.
2. *Ibid.*, p. 105.

Miou-Miou dans le rôle-titre ; *L'Attachée* (1993) raconte le périple au Moyen-Orient d'une étudiante en lettres spécialisée dans la littérature pornographique. Pour son plaisir et celui de ses lecteurs, Raymond Jean aime faire se rencontrer les époques et les genres, et s'amuse volontiers à faire revivre quelques grandes figures artistiques : Cézanne et Zola sont les protagonistes de *Cézanne et Zola se rencontrent* (1994), Baudelaire est au cœur de *Clotilde ou le Second Procès de Baudelaire* (2002).

C'est dans cette veine, érudite et sensuelle, que s'inscrit la parution de *Mademoiselle Bovary* en 1992. Spécialiste de la littérature française du XIXe siècle, Raymond Jean est un fin connaisseur de Flaubert. Pour cet amateur de récritures, la tentation est grande de saisir la perche narrative tendue par le maître à la fin de son roman : quelle sera la vie de Berthe après que tous les adultes ont quitté la scène ? Amoureux des femmes comme il l'était, Raymond Jean n'a pu résister au désir d'offrir à Berthe une parenthèse exotique et sensuelle dans sa vie d'ouvrière. Il est probable qu'il s'est aussi identifié au romancier vieillissant à qui la jeune héroïne vient apporter un nouveau souffle.

Une « friandise littéraire [1] », légère et savante

Mademoiselle Bovary s'annonce donc comme une suite possible de *Madame Bovary*. Au triste destin de la mère

1. Expression proposée par les éditions Actes Sud au sujet de *Mademoiselle Bovary* sur la quatrième de couverture d'un recueil de nouvelles de Raymond Jean, *Les Perplexités du juge Douglas et autres nouvelles* (1991).

succède la vie modeste d'une jeune ouvrière encadrée par sa tante et diverses institutions garantes de sa moralité. Raymond Jean s'amuse à instruire la jeune fille de son passé par le biais d'un autre personnage du roman de Flaubert : le jeune Napoléon Homais, premier des quatre enfants du pharmacien d'Yonville, retrouve la compagne des jeux de son enfance. Invraisemblable rencontre ou plausible prolongement ? L'amourette attendue ne prendra pas la forme escomptée : Berthe n'est pas séduite par le personnage Napoléon mais par la personne de l'écrivain auquel elle va demander des comptes.

L'improbable se situe dans cette rencontre inédite entre la créature et son créateur, qui donne lieu à des dialogues troublants sur les droits du romancier observateur de la vie des autres. Berthe, à sa manière, fait le procès du réalisme.

C'est alors toute l'œuvre du romancier qui est convoquée, sous des formes diverses, dans ce court récit peuplé des personnages de Flaubert, au nombre desquels on rencontre, en premier lieu, la servante Félicité et son perroquet Loulou...

Mademoiselle Bovary

• **Doc. 1** : *Portrait de Flaubert*, par Pierre François Eugène Giraud (1806-1881), v. 1856.

I

On peut lire dans les toutes dernières lignes de *Madame Bovary*, à propos du destin de la petite Berthe, la fille d'Emma : *Quand tout fut vendu, il resta douze francs soixante et quinze centimes qui servirent à payer le voyage de Mlle Bovary chez sa grand-mère. La bonne femme mourut dans l'année même ; le père Rouault étant paralysé, ce fut une tante qui s'en chargea. Elle est pauvre et l'envoie, pour gagner sa vie, dans une filature*[1] *de coton.*

Ce qu'on sait moins, c'est que Berthe, au terme des années passées dans cette filature, connut une étrange aventure. Mais quelques mots d'abord sur les conditions de vie de l'ouvrière qu'elle était devenue. En Normandie, l'industrie textile était alors assez prospère, surtout dans la région rouennaise, en raison des fortes importations de cotonnades que favorisait la vie portuaire, mais les filatures disposaient d'un appareil technique beaucoup plus médiocre qu'à Paris ou dans le nord de la France. Le

1. Usine de transformation des matières textiles en fils à tisser.

travail y était très dur. Berthe commençait ses journées à six heures du matin et n'abandonnait sa besogne qu'à six heures du soir, dans un atelier qui comptait quelque deux mille broches [1]. Les femmes, alignées debout devant les hauts métiers, un pied sur une pédale, les mains sur le cylindre de bobinage [2], accomplissaient une tâche physiquement très rude et moralement monotone. Beaucoup étaient des adolescentes, comme Berthe elle-même dans les années de son apprentissage. Mais, des enfants, de huit ans, de six ans même, il y en avait vraiment, qui « bobinaient » comme ils pouvaient. Les contremaîtresses [3] étaient souvent des religieuses, que les habitudes du couvent n'avaient pas rendues particulièrement amènes [4]. Elles passaient dans les rangs pour vérifier le bon effilage [5] du coton ou de la laine, mais surtout la régularité implacable du travail.

Beaucoup de ces manufactures étaient de vrais bagnes, mais Berthe s'y faisait. Elle gardait, même dans les épreuves, un caractère enjoué, parfois légèrement provocant, qu'elle tenait sans doute de sa mère. Sa physionomie, ses yeux noirs ourlés de cils très fins, les ban-

1. Tiges de fer sur lesquelles sont installées les bobines de fil.
2. Cylindre permettant d'enrouler le fil sur la bobine.
3. Personnes qualifiées – ici, des femmes – qui dirigent le travail des ouvrières dans l'usine.
4. Douces, gentilles.
5. Travail qui consiste à amincir la mèche de coton pour en faire un fil fin.

deaux de ses cheveux, le petit chignon qui les ramenait sur sa nuque, tout cela aussi rappelait sa mère [1], mais avec un air de pauvreté, quelque chose de fripé et de triste qui évoquait à tout moment sa condition. Elle supportait son sort, se disant qu'un jour viendrait peut-être où sa vie prendrait un autre cours.

Or, c'est ce qui arriva. Le soir même de son vingtième anniversaire, comme elle sortait de l'atelier de tissage mécanique, elle vit s'avancer vers elle, dans la cour de la fabrique, un jeune homme dégingandé [2] qui voulait lui parler et déclara s'appeler Napoléon. Grande fut sa surprise en entendant un tel prénom, mais le jeune homme expliqua que son père avait un goût prononcé pour les prénoms un peu déclamatoires, qu'il avait baptisé son autre fils Franklin et ses deux filles Irma et Athalie [3]. Ce père-là était un pharmacien du nom de

---

1. On pourra se reporter à la description d'Emma dans *Madame Bovary*. Au sujet de son héroïne, Flaubert écrit : « ce qu'elle avait de beau, c'était ses yeux : quoiqu'ils fussent bruns, ils semblaient noirs à cause des cils ». Il évoque aussi « ses cheveux, dont les deux bandeaux noirs semblaient chacun d'un seul morceau, tant ils étaient lisses » (*Madame Bovary*, éd. citée, p. 70-71).
2. À l'allure un peu maladroite, comme s'il avait grandi trop vite.
3. Le pharmacien, M. Homais, qui n'a pas de prénom dans le roman de Flaubert, baptise ses enfants de ces prénoms « déclamatoires », c'est-à-dire prétentieux, qui évoquent des figures célèbres et témoignent de sa propre vanité. L'auteur de *Madame Bovary* fait de ce personnage l'incarnation de la bêtise et de la suffisance du petit bourgeois de province. M. Homais signifierait M. « *Homo* », c'est-à-dire « homme », « être humain » en latin. Il est « monsieur Tout-le-monde ».

Homais, décédé voici quelques années, mais qui avait eu son temps de renommée dans la contrée. C'était justement à ce sujet que Napoléon voulait voir Berthe. Il avait quelque chose de très important à lui dire, concernant des événements qui s'étaient passés à Yonville où son père exerçait et qui intéressait de près sa propre famille, à elle, Berthe. Elle faillit tourner les talons sur-le-champ, devinant confusément de quoi il allait lui parler : un sujet terrible sur lequel elle n'avait envie de rien entendre, quelque chose d'affreux et de dramatique qui n'était venu à elle que par bribes et rumeurs obscures, dans son enfance. Mais Napoléon la retint par son fichu [1] :

« Nous avons joué ensemble, tu sais. Tu ne te souviens pas ?

– Non. »

Berthe ne se souvenait de rien, ou plutôt ne voulait se souvenir de rien. Alors Napoléon insista, sortant d'une sacoche qu'il portait sur l'épaule un objet enveloppé dans une étoffe, qu'il lui tendit avec un bizarre mélange d'audace et d'hésitation :

« Tiens, c'est un livre. »

Elle ne savait pas si elle devait le prendre ou non. Et les manières de ce garçon l'inquiétaient. La tutoyait-il

---

1. Sorte de foulard qu'on peut mettre sur la tête ou sur les épaules. On commence ici à rencontrer le lexique des vêtements qui sera abondamment développé dans le récit.

aussi librement parce qu'il l'avait en effet connue dans son enfance, ou à cause du mépris que lui inspirait son état d'ouvrière ?

« Mais enfin qui êtes-vous ? demanda-t-elle.

– Je te l'ai dit, je suis Napoléon Homais. »

Il avait l'air à la fois un peu niais et assez sûr de lui. Pas mauvais personnage [1] pourtant. Il la regardait en souriant.

« Il y a longtemps que je te cherche. J'ai appris que tu travaillais ici. Moi, je vais devenir vétérinaire [2]. Je suis étudiant à Rouen. Prends. »

Des souvenirs confus tournaient dans la tête de Berthe. Le sourire de Napoléon lui disait bien quelque chose, elle retrouvait vaguement les mimiques, les gestes d'un petit garçon qui avait dû jouer avec elle aux quilles ou à la balle dans une cour de ferme ou un jardin, il avait alors des sœurs de son âge qui lui avaient prêté des poupées. Mais tout cela était lointain, enfoui, effacé. Effacé par le malheur. Étouffé par des années de deuil et de misère. Non, elle ne voulait rien savoir. Non, elle ne se rappelait rien.

---

1. On notera l'usage du mot « personnage » : on aurait pu attendre « garçon », plus simplement, mais Napoléon Homais est effectivement un personnage de roman.
2. Les métiers de la médecine ont une grande importance dans la vie et l'œuvre de Flaubert dont le grand-père était vétérinaire, le père et le frère médecins. Charles Bovary est officier de santé et monsieur Homais est pharmacien.

« Prends », répéta-t-il avec insistance.

Elle ne bougeait pas. Elle finit pourtant par avancer, très lentement, la main.

« Qu'est-ce que c'est ? dit-elle.

– Un livre. Il faut que tu le lises. »

Elle prit l'objet en tremblant. Il l'aida à le sortir de l'étoffe qui le protégeait. C'était *Madame Bovary* [1].

*
* *

Berthe avait une certaine pratique de la lecture. Elle avait reçu une formation convenable au temps où elle était écolière. Et le travail de la manufacture n'avait pas éteint en elle tout désir, toute curiosité de savoir, comme chez la plupart de ses camarades d'atelier soumises à une tâche quotidienne harassante. Elle avait lu des romans populaires, *Les Mystères de Paris* [2], et même *Les Misérables* [3]. Elle n'avait jamais entendu parler de ce livre-là.

---

1. Il s'agit donc du roman que Flaubert a publié en 1856 et dont les parents de Berthe et de Napoléon sont les principaux protagonistes.
2. Roman populaire (1842-1843) d'Eugène Sue, qui valut à son auteur un procès, en 1857, la même année que ceux de *Madame Bovary* et des *Fleurs du mal*, de Baudelaire.
3. Grand roman de Victor Hugo dont l'une des héroïnes est la jeune Cosette, que sa mère donne en garde à une famille brutale et maltraitante pendant qu'elle-même est employée en tant qu'ouvrière en Normandie, dans une filature de lin.

Elle le lut avec une sorte de panique, pour ne pas dire de terreur, avec une immense avidité en même temps, dans la mansarde qui lui servait de logement depuis que sa vieille tante était devenue impotente et grabataire [1]. Le choc fut tel qu'elle resta deux jours et deux nuits clouée dans son lit, en proie à une forte fièvre. Au point que la contremaîtresse la voyant si décolorée et si affaiblie, quand elle se représenta à l'usine, lui accorda trois jours de repos supplémentaires. Mais derrière sa pâleur, quelque chose bouillonnait, s'agitait dans sa tête et dans son cœur, provoquant au plus secret d'elle-même une multitude d'interrogations, d'angoisses, d'indignations, de révoltes.

Comment ce M. Flaubert, dont le nom s'étalait sur la couverture, avait-il pu écrire tout cela ? Comment avait-il *su* tout cela ? Pourquoi s'était-il permis de le dire ? Et si tant de gens avaient pu lire ces choses, était-elle la dernière à les découvrir ? En la quittant, Napoléon lui avait dit que le livre était très connu, que l'exemplaire qu'il lui apportait était passé en beaucoup de mains, comme en témoignaient son aspect fatigué et usé, le papier écorné et froissé, et qu'il était indispensable qu'elle le lise maintenant, puisque c'était de sa mère qu'on y parlait. Elle saurait tout.

Elle savait tout désormais et elle était pantelante [2]. Les larmes aux yeux, la douleur au cœur, elle se dit, le

1. Ne quittant plus son lit.
2. Profondément bouleversée.

jour même où elle reprit son travail à l'usine, qu'elle irait voir Gustave Flaubert. Napoléon lui avait indiqué que, s'il allait parfois à Paris pour ses affaires, il résidait le plus souvent à Croisset[1], une bourgade proche de Rouen, sur les bords de la Seine. C'est là qu'elle pourrait le voir. Elle se décida un dimanche.

*
* *

La maison devant laquelle elle arriva était intimidante : c'était une grande bâtisse du siècle précédent, impressionnante certes de proportions, mais avec quelque chose de vieux et de solitaire. L'air du fleuve semblait flotter sur le jardin. Elle hésita avant de frapper à la porte, puis se décida. Ce fut une vieille servante qui vint lui ouvrir en boitant. Berthe lui dit simplement qu'elle voulait voir M. Flaubert, si c'était possible. Elle avait apporté un petit bouquet d'hortensias bleus[2], pour rendre sa visite plus engageante, et s'était exprimée d'une voix très douce, enfantine, peu assurée. La servante paraissait surprise et même assez inquiète. Néanmoins elle ne demanda rien à Berthe, même pas son nom, et la fit entrer.

---

1. Flaubert vivait effectivement en « ermite » dans la propriété familiale de Croisset, en Normandie, où il a écrit quasiment toute son œuvre (voir dossier, p. 90-91).
2. Dans *Madame Bovary*, la couleur bleue est fréquemment associée au personnage d'Emma.

« Je crains que monsieur ne dorme », dit-elle.

C'était trois heures de l'après-midi, en ce dimanche printanier, et Gustave Flaubert faisait peut-être la sieste. La servante disparut d'un pas traînant et Berthe l'entendit crier : « C'est une demoiselle qui veut vous voir ! » Puis, plus rien. Un long silence. On la laissait seule dans une immense pièce toute tapissée de casiers de chêne où se serraient des livres. Il y avait une grande table de travail, de chêne luisant elle aussi, sur laquelle se trouvaient des pots garnis de plumes d'oie et de pipes. À travers les fenêtres, on voyait les rives du fleuve, un bateau à voiles glissant à la surface de l'eau. Sur le sol, une peau d'ours, que Berthe osait à peine fouler[1]. Elle attendait, anxieuse. Au bout d'un moment, elle vit arriver un homme, grand, massif, un peu courbé, abondamment moustachu, le crâne dégarni, avec des yeux de vieux chien, vêtu d'une robe de chambre usée[2]. C'était Flaubert.

« Vous voulez me voir, me dit-on. Et vous arrivez comme cela, sans prévenir ?

– Excusez-moi, dit-elle, parvenant à peine à faire sortir les mots de ses lèvres.

---

1. Une des caractéristiques de la maison de Croisset était effectivement le grand salon à cinq fenêtres donnant sur le jardin. Flaubert en avait fait sa salle de travail (voir dossier, p. 90-91).
2. Description conforme à la représentation la plus célèbre de l'écrivain, réalisée par Pierre François Eugène Giraud (voir p. 12).

– C'est pour un emploi, sans doute ? C'est vrai que Félicité commence à se faire vieille. Et que mon domestique, pour lequel j'avais eu, sans vanterie, les plus grandes bontés, m'a quitté il y a quelques jours, parce que je n'étais plus assez "aimable pour lui". Vous avez dû entendre parler de cela ?

– Je ne viens pas pour du travail, monsieur.

– Pourquoi venez-vous alors ? Et qui êtes-vous ? »

Elle fit un immense effort sur elle-même pour répondre.

« Je suis Berthe, monsieur.

– Berthe quoi ?

– Berthe Bovary. »

La sirène d'un bateau, sur le fleuve, se mit à hurler. On aurait dit qu'un vrai cataclysme s'abattait sur la maison. Gustave Flaubert passa sa main dans l'ouverture de sa robe de chambre pour la poser sur son cœur, comme s'il voulait prévenir un malaise, une suffocation [1], puis alla lentement jusqu'au fauteuil à haut dossier qui se trouvait derrière sa table de travail pour s'y asseoir et reprendre souffle. La respiration lui revenant, il leva ses grands yeux effarés vers Berthe.

« Quoi ? dit-il.

– Vous avez bien entendu. »

Il y eut un très long silence. On entendait des mouettes qui volaient dans le jardin et, de temps en temps, venaient cogner les vitres du bec.

---

1. Flaubert était sujet à des crises nerveuses terribles.

« Félicité [1] ! » cria tout d'un coup le maître de maison.

La servante entra dans la pièce en se traînant, en grommelant.

« Apporte du café pour cette jeune fille et moi. Nous en avons bien besoin.

– Je ne bois pas de café, dit Berthe.

– Que bois-tu alors ?

– De l'eau. »

Flaubert comprit qu'elle était pauvre et habituée à l'austérité. Sa mise d'ailleurs le montrait bien. Berthe avait pourtant choisi une robe de fine indienne [2] qu'elle gardait pour les dimanches, mais tout, dans sa manière de se tenir, de serrer ses bras demi-nus le long de son corps, de tortiller son bouquet au bout de ses doigts, de garder son fichu noué sur ses épaules, de rapprocher ses chevilles l'une de l'autre, trahissait la gêne et l'embarras. Elle avait, heureusement, un joli visage et des yeux de velours. Elle regardait avec une réelle perplexité ce vieil homme qui venait de la tutoyer, pas du tout à la manière de Napoléon, mais simplement parce qu'il aurait pu être un père [3]. Il lui fit poser les

---

1. On ne connaît pas à Flaubert de servante du nom de Félicité. Il s'agit du prénom d'un des personnages de son œuvre *Un cœur simple*. On peut supposer que Raymond Jean raconte comment l'écrivain vit avec les créatures de son imagination.

2. Tissu de coton de couleur qui était initialement fabriqué en Inde.

3. Berthe a, en quelque sorte, deux pères : Charles Bovary, qui est son père biologique dans la fiction, et Gustave Flaubert, son créa-

hortensias, lui tendit le verre d'eau que venait d'apporter Félicité et la pria de s'asseoir en face de lui, tandis qu'il tournait son café. Visiblement il reprenait ses esprits.

« Raconte-moi », lui dit-il.

Elle raconta ce qu'elle put. Sa vie difficile. Son travail à la filature. Le grand bouleversement qu'avait causé, au plus profond d'elle-même, la lecture du livre. Il l'écoutait incrédule et comme hébété. Il la laissait parler, semblait n'avoir rien à dire. Brusquement elle changea de ton, comme si elle ne pouvait plus contenir un flot d'amers reproches.

« Pourquoi avez-vous écrit cela ?

– En effet, pourquoi ?

– C'est vraiment ce qui est arrivé à ma mère ? »

Il haussa les épaules, en posant sa tasse.

« Oui.

– Elle était vraiment comme ça ? »

Il se contenta de pousser un gros soupir. Berthe sentit qu'elle ne tirerait pas beaucoup de paroles de lui. Il avait un côté bougon qui ne lui déplaisait pas, mais elle comprit qu'il n'appréciait guère son insistance à le questionner. Elle se tut. Ses yeux erraient sur des portraits, des gravures, des dessins fixés aux murs. Sur toutes sortes de statuettes ou de bibelots qui se trouvaient dans la pièce.

---

teur romanesque, celui qui l'a engendrée par l'écriture. Le récit s'amuse de cette ambiguïté.

Un bouddha en bronze. Un buste de marbre qui semblait représenter le visage d'une femme morte. Comme elle l'observait avec gravité, il dit :

« Ma sœur Caroline. Son masque mortuaire [1]. Figure-toi qu'elle a eu une fille qui s'appelle aussi Caroline. Elle vient me voir de temps en temps. Quand tu es entrée tout à l'heure, j'ai cru que c'était elle [2]. »

Berthe parut surprise et se raidit légèrement sur sa chaise. Qui était cette Caroline qui venait ici en visite ?

« Oui, ma nièce », dit-il.

Puis, parlant comme pour lui-même :

« Elle est anémique [3]. Elle dépérit tous les jours. Les fortifiants n'y font rien. Elle a essayé l'hydrothérapie [4], ça n'a donné aucun résultat. Elle a dû abandonner la peinture qui était sa seule distraction. Pauvre fille ! À vrai dire je l'adore. Et nous nous entendons très bien… »

Après un temps de réflexion :

« Mais elle est beaucoup moins fraîche que toi.

– Je ne suis pas fraîche. Je suis toute chiffonnée. Je suis orpheline et ouvrière, vous le savez mieux que personne.

---

1. Masque moulé sur le visage d'une personne récemment décédée, qui permet de garder un ultime portrait d'elle.

2. Flaubert a conservé des liens étroits, épistolaires notamment, avec la fille de sa sœur.

3. Faible par manque de globules rouges dans le sang.

4. Soin par l'eau.

– Tu as un très joli minois. Et tu as ses yeux, à *elle*.

– À votre nièce ? »

Il haussa ses lourdes épaules, comme accablé de voir qu'elle ne comprenait pas mieux et plus vite. Elle paraissait futée, pourtant. Et d'ailleurs elle avait très bien compris.

« Parlez-moi de ma mère », dit-elle dans un souffle.

Il leva les bras au ciel comme pour manifester qu'on lui en demandait trop, ou qu'il s'était assez exprimé sur le sujet. Puis il appela Félicité qui arriva en clopinant.

« Apporte un vase pour ces fleurs. Et un biscuit pour cette demoiselle.

– Non… », dit Berthe.

Il l'interrompit :

« Tu prendras bien un biscuit. Ce n'est pas tous les jours que je reçois une visite comme la tienne.

– Et votre nièce ?

– Caro a dix ans de plus que toi.

– Alors ?

– Alors rien. »

Comme Félicité était revenue avec le vase et le biscuit, puis repartait, traînant toujours la savate, il dit d'une voix assez basse :

« C'est une pauvre bonne femme. Je suis en train d'écrire quelque chose sur elle. Une histoire ou un conte, je ne sais pas comment on peut appeler ça…

c'est triste et c'est bête… elle est simplette, mais le cœur sur la main [1]… »

Il se leva, ramassa quelques feuilles de papier sur son bureau et les montra.

« C'est là. Quel métier de chien [2] ! Mais ça m'amuse. Il faut bien tuer le temps. »

Il regarda Berthe fixement et répéta :

« Tuer le temps. »

Puis il la prit par les épaules et la conduisant vers la porte lui dit :

« Si tu veux, je t'emmène faire une promenade. Jusqu'à un petit trou pas loin d'ici qui s'appelle Canteleu. Il fait beau. Ça nous dégourdira les jambes, surtout les miennes qui sont vieilles. On parlera. »

*
* *

Ils parlèrent en effet. Tant et si bien que Berthe prit goût à la compagnie du monsieur qui aurait pu être son père. Elle lui demanda la permission de revenir et revint en effet le dimanche suivant. Elle avait toujours la même robe, mais un ruban rose autour de ses bandeaux blonds, qui égayait sa mine. Et un air de contentement

---

1. Allusion à *Un cœur simple*, l'un des *Trois Contes* de Flaubert, dans lequel l'héroïne se prend d'une affection démesurée pour son perroquet Loulou.
2. Référence au travail acharné de Flaubert sur ses textes.

qui lui enlevait presque son apparence de pauvreté et de modestie extrême. Un rayonnement qui était tout simplement la beauté. Curieusement, ses joues semblaient plus pleines, ses formes plus modelées. Flaubert s'en aperçut, qui lui dit très directement :

« Tu es une jolie fille. »

Elle se rétracta, parut fâchée.

« Évidemment, dit-elle d'une manière assez brusque, vous vous y connaissez. »

Comme il restait silencieux, bourrant une pipe, elle ajouta :

« Mais vous n'avez pas tous les droits ! »

Il eut l'air surpris, piqué.

« Qu'est-ce que tu veux dire ?

– Vous pouvez écrire ce que vous voulez, mais vous n'avez pas tous les droits.

– Explique-toi. »

Elle pencha la tête, absorbée dans ses pensées.

« Eh bien, dit-elle en relevant le front, il y a des choses que vous n'auriez peut-être pas dû écrire.

– Quoi par exemple ? »

Elle prit le livre, ou plus exactement le fit sortir de sa robe, comme si elle l'avait caché là, entre ses cuisses, dans les grands plis qui retombaient sur ses genoux. C'était l'exemplaire prêté par Napoléon. Il était encore plus froissé, plus écorné que lorsqu'elle l'avait reçu, signe qu'elle l'avait beaucoup lu et manié. Elle avait marqué de nombreuses pages. Elle en chercha une bien précise, qu'elle ne mit pas longtemps à trouver.

– Tenez, ceci : *Quel débordement, le jeudi d'après, à l'hôtel, dans leur chambre avec Léon ! Elle rit, chanta, pleura, dansa, fit monter des sorbets, voulut fumer des cigarettes, lui parut extravagante, mais adorable, superbe.* » Elle avait lu d'une voix tremblante, effrayée presque.

« Alors ?

– On n'écrit pas ces choses-là !

– Pourquoi ?

– Parce que ma mère ne pouvait pas fumer des cigarettes. Non, ce n'est pas possible.

– Elle était très gaie. Vraiment extravagante, crois-moi. Et superbe.

– Je sais. Mais il y a des choses qu'on n'écrit pas. C'est comme cette histoire de fiacre [1] !

– Ah, tiens !

– Oui, ce fiacre qui va partout, à folle allure, à travers les rues, les places, les jardins, le long des quais, tous les stores baissés… j'ai trouvé ça… »

Il eut envie d'éclater de rire.

---

1. Il s'agit d'un des passages les plus connus et les plus discutés de *Madame Bovary* (éd. citée, p. 335). C'est au sortir de la cathédrale de Rouen, dans un fiacre, c'est-à-dire une voiture à chevaux, que Léon et Emma consomment enfin pour la première fois leur amour. On peut lire l'épisode comme une vaste métaphore sexuelle. Sartre en a fait une lecture très explicite dans *L'Idiot de la famille*.

« Ma petite pudibonde[1] ! Que peux-tu reprocher à ce passage, je te le demande ? Sinon tes propres excès d'imagination. Et tu n'as que vingt ans ! Laisse ça aux vieux croûtons qui ont prétendu me juger. Tu me rappelles vraiment ces magots[2] du tribunal. Car, tu ne le sais pas, mais je vais te le raconter, ils m'ont traîné en justice comme le dernier des gueux[3]...

– Je ne suis pas pudibonde ! dit-elle en se levant brusquement.

– Rassieds-toi et laisse-moi continuer. Oui, comme le dernier des gueux... Et cette histoire de fiacre revenait toujours... Attends... »

Il alla vers une armoire qui se trouvait entre les casiers de chêne, l'ouvrit et, après quelques recherches, en tira un dossier poussiéreux qu'il se mit à feuilleter.

« Voilà. Écoute. C'est mon défenseur qui parle, un avocat de talent, lui, un orateur intelligent et éloquent ! Je lui dois beaucoup. Écoute : *Messieurs, cette espèce de course fantastique ayant déplu à la rédaction de la* Revue de Paris (c'est là, figure-toi, que l'histoire de ta maman a été publiée avant de devenir un livre), *la suppression en fut faite... Eh bien, cette malheureuse suppression, c'est le procès, c'est-à-dire que, dans les bureaux qui sont chargés, avec infiniment de raison, de*

1. Personne exagérément pudique.
2. Singes. Ici, le terme est employé de manière péjorative contre les membres du tribunal qui ont accusé Flaubert d'immoralité.
3. Misérables.

surveiller tous les écrits qui peuvent offenser la morale publique, quand on a vu cette coupure, on s'est tenu en éveil. Je suis obligé de l'avouer et ces messieurs de la Revue de Paris *me permettront de dire cela, ils ont donné le coup de ciseaux deux mots trop loin ; il fallait le donner avant que l'on montât dans le fiacre ; couper après, ce n'était plus la peine !* C'est envoyé, non ! Un sacré bonhomme, ce Sénard [1] ! Il voyait juste. Alors, tu aurais voulu couper, toi aussi ?

– Moi, ce n'est pas pareil. C'est ma mère.

– Comment, pas pareil ? »

Il ne cessait plus de compulser le dossier, fébrilement.

« Tu aurais été du côté des autres ? De ce bougre d'Avocat Impérial [2] qui voulait faire passer les frissons de l'Enfer dans le dos de l'auditoire en s'écriant : *L'auteur a voulu faire des tableaux de genre et vous allez voir quels tableaux !!!*, avec trois points d'exclamation, ils sont là, tu peux venir les voir, ou qui hurlait dans ses réquisitions [3] des insanités de ce genre : *Moi, je dis que si la mort est la survenue du néant, que si le mari*

---

1. Maître Senard (il semble que l'orthographe « Sénard », avec un « é », bien que souvent utilisée, soit erronée) était l'avocat de Flaubert dans ce procès qu'il a finalement gagné. Reconnaissant, Flaubert lui a dédicacé son roman. Au sujet du procès de *Madame Bovary*, voir dossier, p. 117.
2. Magistrat de l'Empire qui supplée le procureur général.
3. Plaidoiries de la partie civile.

béant sent croître son amour en apprenant les adultères de sa femme, que si l'opinion est représentée par des êtres grotesques, que si le sentiment religieux est représenté par un prêtre ridicule, une seule personne a raison, règne, domine : c'est Emma Bovary. Messaline a raison contre Juvénal[1] *!* »

Il s'était enflammé en lisant, d'une manière volontairement théâtrale, excessive, comme s'il déclamait, debout, la main sur le cœur, parodiant le procureur dont il se moquait. C'en était trop pour Berthe, qui éclata en sanglots, cachant sa figure dans ses mains.

« Je ne comprends rien à tout cela ! cria-t-elle au milieu de ses pleurs. Qui est Messaline ? Qui est Juvénal ? C'est horrible ! »

Flaubert resta interloqué. Il posa son dossier, vint vers elle et la prit par les épaules.

« Ne pleure pas, lui dit-il, d'une voix devenue basse et douce, ça n'en vaut pas la peine. »

Puis, tandis qu'elle continuait à couvrir son visage :

« Pauvre petite ! C'est vrai que tout cela a versé dans l'horreur. Pauvre petite orpheline ! »

Il la tenait dans ses bras maintenant. Il embrassait sa tempe, son cou. Il chatouillait sa peau, derrière l'oreille, sur la nuque, de sa grosse moustache. Il sentait

1. Messaline est une impératrice romaine de l'Antiquité (25-48), célèbre pour son libertinage ; Juvénal est un auteur latin moraliste, légèrement postérieur à cette dernière (60-130), qui dressa un portrait satirique de la cour.

monter une odeur tiède et vive de son petit corps d'ouvrière ployé par les fatigues et le chagrin. Elle se dégagea pour sécher ses larmes d'un mouchoir à carreaux qu'elle tira de l'échancrure[1] de sa robe. Puis, comme si tout d'un coup une idée consolante lui venait à l'esprit, elle reprit le livre qui lui causait tant de peine, elle l'ouvrit à une page qu'elle avait encore soigneusement marquée, et dit :

« Heureusement que vous avez écrit aussi des choses comme celle-ci : *Près d'eux Berthe, en petit tablier blanc, raclait avec sa pelle le sable des allées.*

– Ah, dit-il, ça te plaît ?

– Oui, le petit tablier blanc. La pelle. Le sable. »

Il l'embrassa très fort sur la joue, près des lèvres.

*
* *

Elle revint encore le dimanche suivant. Félicité, qui ne semblait guère apprécier ces visites répétées, l'introduisit en maugréant, puis disparut aussitôt. Flaubert lui offrit du cidre frais et, comme la dernière fois, un biscuit.

« Je vous ai menti dimanche dernier, dit-elle d'entrée.

– Tiens, pourquoi, en quoi ?

– Quand je vous ai dit que j'aimais un petit passage que nous avons lu ensemble.

1. Le décolleté.

– Le tablier blanc ?

– Oui. En réalité, je savais très bien qu'il y avait d'autres passages, beaucoup plus tristes. Celui-ci par exemple. »

Il était clair qu'elle avait préparé ses effets, qu'elle savait où elle voulait en venir. Elle sortit encore le livre de ses vêtements, l'ouvrit sans hésiter au bon endroit.

« Écoutez », dit-elle.

Il écoutait, bourrant sa pipe. Elle lut d'une voix qui se voulait assurée, mais où perçait le trouble le plus évident :

« *Berthe, près de lui, enluminait des estampes* [1]. *Il souffrait, le pauvre homme, à la voir si mal vêtue, avec ses brodequins sans lacets et l'emmanchure de ses blouses déchirée jusqu'aux hanches, car la femme de ménage n'en prenait guère de souci. Mais elle était si douce, si gentille, et sa petite tête se penchait si gracieusement en laissant retomber sur ses joues roses sa bonne chevelure blonde, qu'une délectation infinie l'envahissait, plaisir tout mêlé d'amertume comme ces vins mal faits qui sentent la résine. Il raccommodait ses joujoux, lui fabriquait des pantins avec du carton, ou recousait le ventre déchiré de ses poupées. Puis, s'il rencontrait des yeux la boîte à ouvrage, un ruban qui traînait ou même une épingle restée dans une fente de la table, il se prenait à rêver, et il avait l'air si triste qu'elle devenait triste comme lui.* »

---

1. Elle faisait un « coloriage ».

Berthe interrompit sa lecture, leva la tête, les yeux embués.

« Voilà la vérité. Ma mère ne s'occupait pas de moi. J'étais mal habillée. J'avais des blouses déchirées. Pas de lacets. Ma mère ne m'aimait pas. »

Il tira sur sa pipe d'un air pensif.

« Tu te trompes peut-être.

– Mon père m'aimait, lui. Il raccommodait mes joujoux. Il me fabriquait des pantins. Il recousait le ventre de mes poupées. Et cette épingle, qui le faisait pleurer !

– Oui, cette épingle…

– Ce sont des petits détails comme ça, monsieur Flaubert… »

Il se leva brusquement, comme impatienté.

« Je sais très bien. Ne m'appelle plus monsieur Flaubert. Appelle-moi vieux cruchard.

– Quoi ?

– Vieux cruchard. Mme Sand [1], qui malheureusement m'a quitté l'année dernière, je ne m'en consolerai jamais, m'appelait comme ça.

– Mme Sand ?

– Oui.

– Qui était Mme Sand ?

– Une amie.

---

1. Il s'agit de l'écrivain George Sand, amie de Flaubert. Leur correspondance témoigne de l'usage de ce surnom familier : « vieux cruchard » (voir dossier, p. 88).

– Encore une !

– Qui était l'autre ?

– Caro.

– Caro, c'est ma nièce. Ne mélange pas.

– Et Mme Sand vous a quitté ?

– Oui, elle est morte. Elle aurait pu être ma mère.

– Et vous mon père. »

Comme elle le voyait perplexe, elle posa son livre, but une gorgée de cidre et s'approcha de lui.

« Il me manque, mon père. Il m'aimait. Il recousait le ventre de mes poupées. »

Maintenant elle se serrait presque contre le corps de ce vieil homme qui l'écoutait avec une perplexité sans cesse accrue et ne paraissait plus savoir quoi lui répondre.

Mais brusquement elle s'écarta.

« Vous sentez le tabac.

– Oui, je sens le tabac. Et ce n'est pas étonnant, ma petite, puisque je fume vingt pipes par jour. Le travail ne se fait pas tout seul, qu'est-ce que tu crois ?

– Vingt pipes par jour !

– Oui, mais rassure-toi. Regarde quelles pipes. »

La prenant par l'épaule, il l'amena vers une table qui se trouvait près de son bureau et où était posé un râtelier [1] garni de plusieurs pipes. Il en retira une, noircie, culottée [2], lui montra l'intérieur.

---

1. Sorte d'étagère servant à ranger verticalement les pipes (ou d'autres objets longs).

2. Dont le culot, c'est-à-dire le fond, est noirci et recouvert de suie.

« Le contenu d'un bon dé à coudre, dit-il. Tu vois que ce n'est pas grave. Évidemment, c'est parce qu'elle est très culottée. Mais celle que je fume en ce moment, bien qu'un peu moins vieille, ne contient pas beaucoup plus. Au mieux une grosse pincée. Ce n'est pas la mort !

– Bon, dit Berthe, comme contrite [1] de sa réflexion de tout à l'heure, je vous offrirai un jour une pipe.

– Avec les trois sous de ton portemonnaie ? Ma pauvre fille, quand je pense à ta misère, à tes mains qui croisent le fil tout le jour, à ce gâchis qu'a été ta vie, j'ai l'impression d'étouffer ! Et, en plus, je ne peux rien pour toi. Tu arrives à un moment de mon existence où je suis ruiné [2]. Oui, ruiné. Tu sais, la nièce dont je t'ai parlé…

– Caro ?

– Oui, Caro. Elle s'est mariée à un marchand de bois qui vient de faire faillite, et j'ai tout vendu pour elle. Pour la tirer du pétrin. Tout vendu. Plus rien. Ruiné. Voilà où j'en suis. Et tu arrives !

– Je n'ai besoin de rien, dit-elle d'un ton qu'elle voulait un peu farouche.

– J'aurais bien aimé pourtant t'aider. Tu es si belle !

– Ne dites plus cela. Vous savez bien que ce n'est pas vrai.

---

1. Désolée.
2. Flaubert s'est effectivement ruiné pour sauver sa nièce et son mari (voir dossier, p. 90).

– C'est tout à fait vrai. Viens. »

Il l'entraîna vers un placard, au bout de la pièce, en regardant vers la porte avec de bizarres précautions, comme s'il craignait que Félicité ne survînt d'un instant à l'autre, et tira de là une sorte de grande parure orientale [1], pleine de broderies et d'arabesques dorées, qu'il lui présenta.

« On va voir, dit-il, si tu n'es pas belle !

– Qu'est-ce que c'est ?

– Enlève ton fichu de pauvresse. »

Elle s'exécuta, non sans une mauvaise grâce évidente.

« Enlève ta robe.

– Vous perdez la raison !

– Non.

– Si Félicité arrive ?

– Félicité dort. J'ai l'habitude. J'ai tendu l'oreille. J'ai entendu son ronflement.

– Mais que me demandez-vous ?

– Je te demande de passer cette tunique. »

Chose curieuse, Berthe, sans s'obstiner plus longtemps, enleva sa robe. Elle apparut dans sa camisole blanche, serrant ses bras nus sur sa poitrine, comme si elle avait froid. Il secoua un peu la parure, comme on aurait fait d'une pièce de musée, pour la dépoussiérer,

1. Des vêtements que Flaubert aurait rapportés de son voyage en Orient, entrepris avant l'écriture de *Madame Bovary*.

et la lui mit sur les épaules. Puis il la fit se tourner vers un grand miroir, proche du placard.

« Regarde-toi. »

Elle se regarda. Ce qu'elle vit fut une petite cousette [1] transformée en princesse exotique. Les broderies, les franges, les glands, l'or, la soie palpitaient, scintillaient sur son corps [2].

« Dommage, dit-il, que tu sois blonde ! Si tu étais brune, tu lui ressemblerais davantage. »

Elle crut qu'il parlait encore de sa mère et se rebiffa aussitôt.

« Tu ne m'as pas compris. Ce n'est pas d'*elle* que je parle. On ne voit pas d'ailleurs pourquoi elle se serait attifée [3] ainsi. C'est d'une autre.

– Quelle autre ?

– Une femme qui portait le nom étrange de Kuchuk-Hanem [4]… Ça t'épate, hein ? Oui, Kuchuk-Hanem.

1. Une petite ouvrière d'une usine de filature.

2. L'auteur pastiche ici certaines phrases de *Salammbô*, le roman oriental écrit par Flaubert après *Madame Bovary.*

3. Habillée.

4. Nom de la courtisane que Flaubert a rencontrée à deux reprises au cours de son voyage en Orient, en Haute-Égypte, sur la rive ouest du Nil. C'est là que le gouvernement égyptien avait relégué les prostituées. À l'époque, la présence des courtisanes faisait de cette localité une « attraction touristique ». Les entrevues de l'écrivain et de Kuchuk-Hanem (voir dossier, p. 95-96) ont été relatées par Flaubert dans ses lettres à Louis Bouilhet. Ce dernier a composé un poème en alexandrins sur cet épisode du voyage, intitulé « Kuchiuk-Hanem. Souvenir ».

Une Égyptienne. La première fois que je l'ai vue, elle sortait du bain. Elle avait un grand tarbouch[1] qui lui retombait sur les épaules et une plaque d'or ornée d'une pierre verte qui lui couvrait tout le haut de la tête, le bas du corps couvert par d'immenses pantalons roses et le torse enveloppé d'une gaze violette. C'était une drôle de bougresse[2], avec des narines fendues et des yeux démesurés. Je dois dire que tu ne lui ressembles pas du tout. Elle sentait la térébenthine[3] sucrée…

– Quoi ?

– La térébenthine sucrée. Ce n'est pas ton cas… »

Se tenant derrière elle, il avait posé ses mains sur ses hanches et se penchait sur sa nuque, sur ses épaules, faisant mine de respirer le parfum de sa peau. Puis, tout d'un coup, il s'aperçut dans le miroir, jouant ce manège, et s'interrompit[4].

« Mais je dois dire qu'avec cette tunique, qu'elle portait aussi en d'autres circonstances, tu as tout de même l'air sacrément orientale. Il faudrait simplement que tu aies avec toi un petit mouton tacheté de henné jaune, avec une muselière de velours noir sur le nez, qui te suivrait comme un toutou. Tu serais parfaite. Kuchuk-Hanem était souvent escortée d'un mouton de ce genre.

---

1. Grand bonnet égyptien.
2. Femme (familier).
3. Résine de pin très parfumée.
4. On sait par sa correspondance que Flaubert n'aimait pas son apparence physique, son corps très imposant.

Décidément, en te voyant ainsi parée, des flots de souvenirs me reviennent à l'esprit. Des flots… Ceux du Nil nous porteraient, dans une petite cange [1] où tu serais bien installée avec ton mouton… Ah, la mémoire !… »

Il l'avait reprise par la taille, mais en fermant les yeux pour ne pas se voir dans le miroir. Il promenait de nouveau la broussaille de sa moustache sur son cou.

« Ah la la… les années ont passé, dit-il, l'Égypte est loin.

– Vous me piquez.

– Eh oui, je te pique. Et ces oripeaux doivent peser un peu lourd sur tes bras et tes épaules. Enlève ça.

– Ne me parlez plus de Couchou…

– Non, ni de Couchou ni de personne. Tout cela n'existe plus. Et je suis un vieux singe qui fait des grimaces. Pis encore, un cloporte [2].

– Ne dites pas ça. »

Elle avait eu comme un mouvement de tendresse.

« Allons nous promener », dit-il.

Elle avait ôté la parure, la laissant tomber à ses pieds. Il la prit par la main et l'emmena vers une des

---

1. Légère embarcation à voiles, utilisée autrefois sur le Nil pour le transport des voyageurs.

2. Insecte vivant dans les lieux humides et obscurs. Par métaphore, se dit de quelqu'un qui inspire de la répugnance. C'est aussi le surnom péjoratif que Flaubert donne aux deux personnages éponymes de son roman *Bouvard et Pécuchet* (1881, publication posthume).

grandes fenêtres qui éclairaient la salle de travail. On voyait, sur le fleuve, des bateaux qui passaient, des chalands [1], deux voiliers. Au premier plan, de la verdure, un pâturage descendant doucement vers la rive, avec trois vaches en train de brouter l'herbe déjà haute. Au loin, sur la gauche, les toits de Rouen, les flèches [2] élancées de ses églises. Flaubert sortit d'un étui de cuir qu'il tenait caché dans un des tiroirs de son bureau un télescope. Il le fixa sur une sorte de support, l'ajusta, le régla longuement.

« Regarde, dit-il, tu vas avoir des surprises. »

Elle colla son œil au télescope.

« Qu'est-ce que tu vois ?

– Rien.

– Comment rien ?

– Tout trouble.

– Ah, c'est vrai que tu ne dois pas avoir exactement la même vue que moi. J'oubliais. J'oublie toujours. »

Il reprit l'appareil, tourna une molette, modifia le réglage.

« Et cette fois ? »

Elle colla de nouveau son œil au télescope.

« Oui, je vois les bateaux à voiles, comme s'ils étaient là, tout près. Le mât, les cordages. La voile qui tremble. Un marin avec un bonnet… Tiens, et mainte-

1. Grands bateaux plats servant au transport des marchandises.
2. Clochers.

nant, je vois une vache énorme, on dirait qu'elle est sous la fenêtre… avec ses taches marron et blanches… son museau dans l'herbe…

– Son mufle [1] !

– Et des oiseaux blancs. Il y en a un qui vient de passer dans le rond, les ailes toutes renversées.

– Les mouettes.

– C'est beau.

– Oui, c'est beau. Et c'est là-bas qu'on va aller. Vers les oiseaux, vers les vaches, vers les bateaux. L'herbe et le fleuve nous attendent. »

Elle se redressa d'une manière un peu brusque, cabrée.

« Je n'ai pas le temps.

– Pas le temps ?

– Il faut que je rentre. J'ai à coudre, à ravauder [2], à repasser [3]. »

Il soupira.

« Et peut-être autre chose à faire aussi. Bon, la prochaine fois ! La vraie grande promenade. Si tu reviens. »

*
* *

---

1. Extrémité du museau. L'auteur souligne ici l'importance qu'a pour Flaubert la précision du vocabulaire.

2. Raccommoder.

3. La récurrence de ces formules ternaires laisse penser que Raymond Jean pastiche le style de Flaubert, célèbre entre autres pour son goût des rythmes à trois temps.

Elle ne revint pas la semaine suivante. Gustave Flaubert se trouvait en effet dans l'obligation de partir pour Paris. Sans gaieté de cœur, à vrai dire. Car ses cinquante-cinq ans [1] lui pesaient et il n'avait pas une envie pressante d'échanger le calme et le grand air de Croisset contre les embarras du faubourg Saint-Honoré [2]. Mais des amis aussi notables que Tourgueneff [3] et la princesse Mathilde [4] l'appelaient, animés du désir de lui venir en aide dans un des moments les plus difficiles de sa vie. S'il voulait vraiment que l'on fît quelque chose pour lui, qu'on lui obtînt une pension ou une prébende [5] dans la fonction publique, et qu'on l'honorât comme il le méritait, il fallait au moins qu'il fût là, qu'il se montrât, qu'il ne persistât pas à vivre comme un vieux sanglier dans sa bauge [6].

Donc il était allé à Paris.

---

1. Raymond Jean situe son récit en 1877. Flaubert est né le 12 décembre 1821. Plus haut, son personnage explique à Berthe que George Sand, morte en 1876, « malheureusement [l']a quitté l'année [d'avant] ».
2. Quartier riche et prestigieux dans le VIIIe arrondissement de Paris.
3. Tourgueniev (1818-1883), grand écrivain russe, ami de Flaubert.
4. Cousine de Napoléon III, admiratrice et protectrice de Flaubert. Tourgueniev et elle (1820-1904) s'emploient à trouver à Flaubert une pension, une reconnaissance nationale qui lui permette d'échapper à la ruine.
5. Revenu fixe accordé à quelqu'un.
6. Logis sale et boueux.

Pendant ce temps, Berthe, comme elle s'ennuyait du vieux sanglier, avait repris langue [1] avec Napoléon Homais, le remerciant de lui avoir fait découvrir Flaubert et l'en morigénant [2] en même temps, car, disait-elle, cette rencontre lui avait apporté des révélations épouvantables et l'avait mise au bord d'abîmes insoupçonnés. Le jeune homme ne comprenait pas très bien ce qu'elle voulait dire et concluait de ses récits que Flaubert était un vieux fou dont elle aurait dû se méfier. N'étant pas très fin psychologue, il ne voyait pas pourquoi elle lui faisait tant de visites à Croisset et manifestait quelque impatience de ne pas recevoir de sa part un traitement aussi amical.

« Mais enfin, lui répétait-il, nous avons joué ensemble !

– Je sais. Tu me l'as déjà dit. Je ne me souviens pas.

– Essaie.

– Quoi ?

– De te souvenir. Tu me plais, Berthe.

– Je ne suis qu'une pauvre ouvrière. Sans parents, sans famille, sans amis. Juste une malheureuse tante moribonde [3], dont il va falloir que je m'occupe.

– Il y a moi. Je pourrais devenir ton mari.

– Tu es fou, Napoléon. Tu rêves.

---

1. Avait renoué contact.
2. Grondant, réprimandant.
3. Sur le point de mourir.

– Je suis jeune. Pourquoi tu me parles toujours de ce vieux cruchard ?

– Qu'est-ce que tu as dit ?

– Je ne sais pas... un mot qui me vient... comme ça...

– Tu pourrais le respecter tout de même !

– Le respecter ! C'est de lui que viennent tous tes malheurs.

– Tu es jaloux.

– Jaloux ? De sa moustache ?

– Ah, parce que tu sais qu'il a une moustache ?

– Tu me l'as répété trente-six fois. »

Elle prit un air pincé.

« Un homme à moustache a du charme.

– À condition de ne pas être ton grand-père ! »

Elle haussa les épaules comme si elle voulait manifester que décidément il était incapable de rien comprendre.

*
* *

Le premier dimanche après le retour de Flaubert, elle revint à Croisset. Elle l'avait averti de sa visite par un petit billet. Il l'attendait, bien décidé à lui offrir la grande promenade promise. Malheureusement il pleuvait. Quand elle arriva, elle vit que Félicité n'était pas là.

« Je lui ai donné congé, dit Flaubert, puisque nous devions sortir. Hélas, je déplore ce temps ! C'est vrai qu'en Normandie, ce n'est pas exactement une surprise. Mais je le déplore quand même. »

Elle s'approcha d'une des fenêtres, regarda les grands nuages pommelés [1], bas, gris, dans le ciel.

« On y va », dit-elle d'un ton décidé.

De fait, la pluie paraissait cesser et un tout petit coin de bleu apparaissait même vers l'horizon, loin sur le fleuve.

« On tente.

– Mais tu sais que c'est une grande promenade que j'avais prévue. Pas seulement Canteleu… Le mont Riboudet [2]. Tout le détour là-bas, par-derrière, jusqu'à Rouen. »

Il montrait du bras un grand revers de paysage, dessinait un itinéraire.

« On verra bien.

– Bon. »

Il alla mettre des bottes et sortit du placard un grand parapluie de campagne à l'ancienne mode qu'il eut un certain mal à actionner une ou deux fois pour l'essayer.

---

1. De forme ronde.
2. Le mont Riboudet fait partie de l'itinéraire suivi par le fiacre dans lequel Léon et Emma consomment leur amour pour la première fois. On peut sans doute lire cette proposition de Flaubert à la lumière de cette référence.

« On n'ouvre pas les parapluies dans les maisons, dit-elle. Ça porte malheur.

– Ça nous portera bonheur. »

Puis, constatant qu'elle était légèrement vêtue :

« Tu ne mets rien ?

– Non, le parapluie suffira. »

Ils partirent, bras dessus, bras dessous. La promenade s'annonçait bien. Mais à peine avaient-ils passé le fleuve, le mauvais temps se confirma. Ou plutôt s'aggrava, tourna à l'orage. L'éclaircie n'avait été que de courte durée.

Les nuages s'épaissirent et devinrent carrément noirs. Une pluie drue se mit à tomber. Il fallut rebrousser chemin précipitamment. Le plus désastreux fut que le parapluie ne s'ouvrit pas, malgré de multiples tentatives. Plus exactement, il s'ouvrait mais ne tenait pas. Berthe noua son fichu sur sa tête. Ils durent courir, mais Flaubert, avec ses ennuis pulmonaires, avait le souffle qui s'épuisait vite. Ils cherchèrent un abri dans une bergerie : le toit, hélas, était complètement délabré et ne les protégea guère. Ils rentrèrent à la maison trempés.

« Dommage, dit Flaubert, que Félicité ne soit pas là. Elle aurait tout de suite allumé un bon feu. Mais je vais le faire moi-même. »

Il alla chercher des bûches, des brindilles, du papier. Passant devant une fenêtre et voyant l'averse qui continuait :

« C'est sacrément beau tout de même, cette campagne normande sous la pluie ! »

Et comme elle paraissait grelotter, vraiment transie, ruisselante, les cheveux plaqués au crâne et aux tempes :

« Sèche-toi. »

Il ne semblait pas soucieux de se sécher lui-même. Il plaçait le bois dans la cheminée, brisé, essoufflé, mouillé de la tête aux pieds, mais obstiné à préparer la flambée. Elle ne bougeait pas, grelottait toujours. Sa robe trempée collait à ses formes, les moulait avec une exactitude parfaite.

« Déshabille-toi. »

Elle se déshabilla, debout sur la peau d'ours. La camisole [1] était aussi trempée, aussi transparente que la robe. Elle l'enleva également.

C'est ainsi qu'en peu de temps Berthe fut nue et réchauffa son jeune corps au feu allumé par Gustave Flaubert. Sans doute était-il ébloui du spectacle. Mais il ne le montrait pas et s'employait en ronchonnant à se mettre au sec à son tour. Il enleva sa veste côtelée pour ne garder que son gilet à gros boutons qui, heureusement, n'avait pas pris la pluie, et entreprit surtout d'ôter ses bottes. Assis près du foyer, il avait un certain mal à les retirer. Il y parvint et les remplaça par des pantoufles.

---

1. Vêtement qui se portait sur la chemise.

« Mes pantoufles en velours de chez Proust, dit-il. Un cadeau de ma nièce.

– Ne me parlez plus d'elle ! » dit Berthe qui se faisait lécher par les flammes.

Quand il fut en pantoufles, il disparut dans sa chambre et revint au bout d'un moment avec une éponge, de l'eau de Cologne, de la pommade et de l'huile.

« C'est de l'huile au foin, dit-il, qui vient de la rue Saint-Honoré. Une spécialité. »

Et il se mit à frictionner Berthe qui, décidément, reprenait chaleur.

« C'est comme si tu étais ma fille. »

Pour toute réponse, elle n'eut que la citation qu'elle avait déjà faite un dimanche précédent et qu'elle semblait avoir apprise par cœur :

« *Elle rit, pleura, chanta, dansa, fit monter des sorbets, voulut fumer des cigarettes, lui parut extravagante, mais adorable, superbe* [1].

– Il manque les sorbets et les cigarettes, dit Flaubert, mais tu es extravagante, adorable, superbe. »

Et il la prit dans ses bras, tandis qu'elle ne cessait pas de rire.

*
* *

1. *Madame Bovary*, éd. citée, p. 370.

C'est ainsi que, contre toute attente, elle se retrouva dans le lit du Maître. Ce dernier n'en revenait pas de surprise, ne réalisant même pas comment cela avait pu arriver. Il avait bien compris les paroles de Berthe, disant que, malgré le magnifique feu de cheminée, elle avait toujours froid et devait trouver un autre moyen d'avoir vraiment chaud, au moins au cœur. Mais il n'aurait pas cru que ce moyen-là pût être sa tendresse de vieil homme. Car il se voyait ainsi, même si son âge était encore des plus raisonnables. Il se voyait cassé, épuisé, perclus [1], essoufflé, grognon et tout d'un coup il retrouvait une jeunesse, une gaieté, une santé qui le laissaient pantois [2]. Tout cela à cause de cette demoiselle qui se blottissait de plus en plus fort, dans ses bras.

« Vieux cruchard ! dit-elle d'une voix douce. On n'est pas mal comme ça ? »

Il prit son temps avant de répondre. Puis :

« Mon poulot, mon bibi, mon loulou, on est très bien. Excuse tous ces mots un peu enfantins. Ce sont ceux que j'emploie avec ma nièce. Surtout quand je lui écris des lettres.

– Encore Caro !

– On ne parle plus d'elle. Viens. »

Un peu plus tard, il était pris d'une sorte de délire et, s'asseyant dans le lit, il s'écria :

---

1. Paralysé.
2. Profondément déconcerté par l'effet d'une situation inattendue.

« Dans ma jeunesse, j'étais fou, vraiment fou. D'ailleurs, j'ai écrit mes Mémoires[1]. Et, figure-toi qu'un jour j'ai raconté une curieuse histoire, celle d'une grande dame et d'un joueur de vielle[2], où il est question d'une certaine Henriette de Harcant qui, rendue justement folle par les malheurs, se prostitue sans retenue. Un jour elle reçoit un jeune inconnu de vingt ans, et ce jeune homme, c'est son fils. Jamais elle n'avait eu tant de plaisir[3].

– Alors ?

– Alors rien. J'étais moi-même un très jeune homme quand j'ai écrit ça. Et, je le répète, j'étais fou. Je n'étais pas une vieille carcasse, une vieille bedolle[4] comme maintenant. »

Berthe, assise elle aussi dans le lit, les seins nus, éclata de rire.

« Une vieille quoi ?

– Une vieille bedolle. C'est un des mots de mon langage. »

---

1. Il les a nommés *Mémoires d'un fou*. Ce roman de jeunesse très autobiographique n'a été publié qu'en 1901.
2. Instrument à cordes.
3. La question de l'inceste court dans tout le récit. Flaubert retrouve une sorte de jeunesse créatrice grâce au plaisir qu'il prend à la compagnie de Berthe. La question des rapports très profonds qui lient le créateur à sa créature est ainsi incarnée. Dans le même esprit, on peut citer l'anecdote de Balzac qui, sur son lit de mort, réclamait le secours du docteur Bianchon. Or, ce docteur était un personnage qu'il avait créé dans *La Comédie humaine* !
4. Personne affaiblie physiquement et intellectuellement.

II

Une habitude s'installa. Berthe profita d'un vrai congé que lui accordait sa filature pour demeurer quelques jours dans cette maison de Croisset où elle se plaisait. Félicité ne voyait pas cela d'un très bon œil, d'autant que son perroquet, Loulou, qu'elle gardait généralement à la cuisine, s'était égaré une ou deux fois dans la chambre à coucher de Flaubert et répétait des bribes de paroles bizarres qu'il y avait entendues. La vieille servante avait d'abord pensé que c'était son propre nom, Loulou, qu'il prononçait, bien que ce ne fût guère dans sa manière, mais il lui fallut se rendre à l'évidence : il y avait aussi bibi, poulot et ce mot de bedolle qui était bien étrange. Sans parler de certains soupirs, petits cris et onomatopées curieuses que l'oiseau reproduisait avec un singulier entêtement.

Mais Félicité ne disait rien. Elle vaquait en silence à ses occupations, baissant la tête, courbant le dos, traînant ses petits pas à travers l'immense salle de travail. Se contentant de chuchoter de temps en temps, pendant qu'elle passait son plumeau sur les meubles. Elle était habituée aux folies de son maître. Non des folies graves, mais des extravagances, comme celle de revêtir pour travailler cette vaste chemise nubienne [1] et de se coiffer de cette calotte [2] de soie qui lui couvrait drôlement le haut du crâne. C'était justement dans cette tenue qu'il venait d'apparaître dans la pièce. Il semblait sortir d'un théâtre : un acteur en pleine possession de son rôle.

« Félicité, la petite dort. Ne la réveille pas, avec tes balais. Pour moi, je n'ai jamais si bien travaillé. Je suis à ma table depuis six heures du matin. J'avance. J'ai repris l'histoire des deux bonshommes [3]. »

Elle ne savait pas de quels bonshommes il parlait, mais elle avait constaté qu'il n'y avait jamais eu sur la table une telle accumulation de notes et de papiers : elle osait à peine épousseter.

« Oui, disait-il, je vais les loger en basse Normandie. Entre la vallée de l'Orne et la vallée d'Auge. Ils seront très bien là-bas. Ils pourront faire leur jardin et élever leurs volailles. »

Elle ne comprenait pas, mais ses lubies [4] ne l'étonnaient plus. Elle continuait à agiter son plumeau,

---

1. De Nubie, région de l'Afrique nord-orientale.
2. Flaubert porte une calotte, c'est-à-dire un petit bonnet, pour dissimuler sa calvitie.
3. Allusion à *Bouvard et Pécuchet*, le dernier roman, inachevé, de Flaubert.
4. Idées bizarres.

comme indifférente, sourde. Sourde, elle l'était d'ailleurs, sensiblement, et c'était ses grands gestes qu'elle suivait, plutôt que ses paroles. Il s'était approché d'une des hautes fenêtres et regardait le paysage.

« Le Calvados, les belles vallées, voilà ce qu'il leur faut ! » disait-il, soudain pensif.

C'est alors que Berthe sortit de la chambre. Dans sa pauvre chemise de nuit, avec sa figure encore ensommeillée, elle avait l'air d'une fille battue. La Cosette[1] du père Hugo, pensa Flaubert dans un éclair. Il adorait son petit corps nu. Mais il ne pouvait pas la voir avec ce haillon sur le dos.

Elle ne resterait pas ainsi devant lui.

« Tu vas te changer, lui dit-il. Enlève ça. »

Félicité eut un mouvement de prompt recul et partit dans sa cuisine retrouver son perroquet.

« Pour mettre quoi ? demanda Berthe bougonne.

– La chemise nubienne, pardi ! Tu seras superbe ! »

Il disparut en un clin d'œil et revint. Il tenait la chemise à la main. Il la tendit à Berthe, qui, après s'être dépouillée de son haillon, s'en revêtit.

« Voilà ! Tu es splendide.

– On ne va pas recommencer ces déshabillages tous les jours ! dit Berthe maussade.

– J'aime les habits ! »

---

1. Voir note 3, p. 18.

Elle flottait dans l'immense chemise, qui traînait sur le sol, comme une robe de mariée. Les manches lui descendaient sur ses épaules, tombaient bien au-delà des poignets, lui avalaient les mains. L'étoffe était très légère et transparente.

« Ma Nubienne ! » dit-il.

Félicité, qui venait d'entrouvrir la porte et s'apprêtait à revenir, soit par curiosité, soit pour prendre son plumeau oublié, et se demandait bien à quel spectacle elle allait assister, capta le mot au vol de son oreille la moins sourde. C'était un mot qui lui paraissait peu convenable. Elle l'avait entendu prononcer assez souvent par son maître, surtout à propos de cette fameuse chemise, et chaque fois elle éprouvait une sorte de gêne, de malaise. Elle préféra refermer la porte.

« On ne va surtout pas recommencer à parler de l'Égyptienne ! dit Berthe.

– On ne recommence rien du tout. On continue.

– On continue quoi ?

– À essayer tous les vêtements possibles. Une ouvrière en filature devrait apprécier ça, les étoffes, les tissus.

– Je file surtout pour les autres.

– C'est justement ça qui doit changer. Il faut que ce soit ton corps maintenant qui se vête. Je suis là pour ça. Tu as dit que j'aimais les habits. C'est vrai.

– Mais vous les aimez drôlement.

– Ah, pourquoi ? »

Il paraissait interloqué. Il était immobile, planté avec un air de grand-père bourru devant une petite-fille insolente. Elle inclinait curieusement le cou, flottant toujours dans l'immense chasuble[1]. Elle finit par retrousser une des manches, la roulant au-dessus de son poignet, puis marcha vers la table de travail où elle s'empara du *livre*. C'était son exemplaire, qu'elle avait dû laisser la veille, au milieu des papiers. Elle chercha une page, avec l'assurance précise qu'elle avait déjà mise à ce genre d'exercice.

« *Le coude sur la longue planche à repasser, il considérait avidement toutes ces affaires de femme étalées autour de lui, les jupons de basin, les fichus, les collerettes et les pantalons à coulisses, vastes de hanches et qui se rétrécissaient par le bas…*

– Ah, ça y est ! Tu te mets encore du côté du procureur[2]. Il avait cité aussi ce passage !

– Je n'en savais rien. Et ce n'est pas pour ça que je l'ai coché.

– C'est pourquoi alors ? »

Elle baissa la tête, comme prise de court.

« Je ne sais pas.

– À cause des pantalons à coulisses ? Tu aimerais en porter ? Tu veux que je t'en achète ? »

Elle rougit légèrement, plutôt de contentement que d'embarras.

---

1. Ici, chemise ample.
2. Flaubert fait référence au procès de *Madame Bovary*.

« Non, dit-elle, ce n'est pas pour cela. »

Il réfléchit un moment, renfrogné, vaguement attristé.

« Je vois, dit-il. C'est parce que tu n'aimes pas que ton père regarde tous ces vêtements de femme. C'est très compréhensible que ça ne te plaise pas.

– Mais ce n'est pas mon père qui les regarde, dans cette scène, accoudé sur la planche à repasser ! C'est le domestique du pharmacien [1] !

– Tu devrais raconter ça à ton petit Homais !

– Vous ne connaissez pas votre propre livre. Vous ne vous souvenez de rien, même pas des personnages ! »

Elle commençait à l'impatienter, avec son air de tout savoir, de tout corriger.

« Oh, tu m'agaces ! Je me souviens et je ne me souviens pas. Si tu crois que c'est facile de faire un livre ! Il faut trimer et suer. Tu penses que je garde tout ce travail dans la tête ? Quand j'écris "jupons de basin", il faut que je consulte un catalogue de mode. Ça te fait froufrouter, toi, *basin* ? Eh bien, moi, il faut que je cherche, il faut que je tourne les pages, que je me crève les yeux sur chaque ligne [2]… Alors, tout le reste… !

– Autre exemple, dit Berthe imperturbable et docte [3], en ouvrant le livre à une nouvelle page : *Elle se*

---

1. Dans *Madame Bovary*, Justin, le domestique des Homais, est amoureux transi d'Emma.

2. Raymond Jean fait ici référence au travail méticuleux de Flaubert qui se documente pour être précis dans ses descriptions réalistes.

3. Savante.

déshabillait brutalement, arrachant le lacet mince de son corset qui sifflait autour de ses hanches comme une couleuvre qui glisse. Comment peut-on écrire des choses pareilles ?

– Ça y est ! Tu t'obstines, tu recommences !

– Une couleuvre qui glisse !

– Ça ne te plaît pas ?

– Pas du tout, fit-elle en baissant les bras et en laissant tomber le livre sur ses genoux d'un air découragé.

– Mon problème à moi, petite, c'est de savoir comment c'est fabriqué, un corset de femme. C'est tout.

– Vous voulez toujours tout savoir.

– Oui, bien sûr.

– Et cela, vous le saviez aussi. »

Elle avait déjà choisi un autre passage et lisait, grave, recueillie tout d'un coup, comme une pénitente aux pieds nus dans sa vaste chemise :

« *L'enfant arriva sur les bras de sa bonne, dans sa longue chemise de nuit, d'où sortaient ses pieds nus, sérieuse et presque rêvant encore. Elle considérait avec étonnement la chambre tout en désordre, et clignait des yeux, éblouie par les flambeaux qui brûlaient sur les meubles. Ils lui rappelaient sans doute les matins du Jour de l'an ou de la Mi-Carême, quand, ainsi réveillée de bonne heure à la clarté des bougies, elle venait dans le lit de sa mère pour y recevoir ses étrennes, car elle se mit à dire : "Où est-ce donc, maman ?" Et, comme tout le monde se taisait : "Mais je ne vois pas mon petit soulier.*

Est-ce la nourrice qui l'aurait pris ?" demanda-t-elle. Et, à ce nom qui la reportait dans le souvenir de ses adultères et de ses calamités, Mme Bovary détourna sa tête, comme au dégoût d'un autre poison plus fort qui lui remontait à la bouche. Berthe cependant restait posée sur le lit : "Oh, comme tu as de grands yeux, maman ! comme tu es pâle ! comme tu sues !..." Sa mère la regardait. "J'ai peur !" dit la petite en se reculant[1]. »

Elle avait lu d'une voix ferme, un peu tremblée pourtant.

« J'ai peur aujourd'hui encore. Très peur.

– Et c'est moi qui suis pâle, qui sue », dit Flaubert.

Elle avait les larmes aux yeux.

« Ne plaisantez pas.

– Je ne plaisante pas du tout. Tu me mets à rude épreuve. »

Elle se tut un moment, comme si elle réfléchissait, puis, changeant de ton :

« Oui, vous, monsieur-qui-savez-tout, qui vous avait renseigné sur mon petit soulier ? Qui vous avait dit que j'allais chercher mes étrennes dans le lit de maman ? Qui vous avait montré tous ces flambeaux et ces bougies qui m'éblouissaient ? Qui vous avait parlé de ma nourrice ? Rien ne vous échappe. Vous avez l'œil et l'oreille partout[2].

---

1. Il s'agit de la fin du roman, la mort d'Emma qui s'est empoisonnée avec de l'arsenic.

2. Le personnage associe le regard observateur de l'écrivain à un voyeurisme sans scrupule et reprend à son compte le reproche qui fut fait au réalisme.

– Je croyais qu'on s'était expliqué là-dessus.

– Vous ne laissez rien de côté, vous épiez tout. Ce n'est pas une bonne action de votre part. »

Il soupira, comme totalement découragé, et alla s'asseoir dans son fauteuil.

« Mon loulou, dit-il, tu m'accables. Tu n'as pas pitié de moi. »

Au nom de Loulou, Félicité entrouvrit la porte, reparut, fit un tour dans la pièce, rangea quelques objets, jeta un coup d'œil oblique sur Berthe toujours en chemise nubienne. Puis elle disparut aussi vite qu'elle était venue.

« Je suis sûr qu'elle écoute aux portes, dit-il.

– Et vous, vous n'écoutez pas aux portes peut-être ! Vous avez fait cela toute votre vie ! »

Il soupira de nouveau.

« Je croyais vraiment qu'on s'était compris. »

Il attrapa sa pipe sur la table et entreprit de la bourrer.

« Ce n'est pas l'heure de la pipe », dit-elle, modifiant tout d'un coup son registre.

Il releva la tête, étonné, content, semblait-il, de retrouver son espièglerie.

« C'est l'heure de quoi, alors ?

– De la promenade matinale. »

Il se leva d'un bond du fauteuil.

« Saperlotte, tu as raison ! J'ai besoin de me décongestionner, j'ai besoin de me dérougir la face et de me calmer les nerfs. Déjeunons et allons marcher. »

Il était déjà près d'une des grandes fenêtres.

« Un de ces jours, dit-il, ce sera autre chose. C'est à Chavignolles que je vais t'amener, entre Caen et Falaise. Là, tu les verras, les deux bonshommes, avec leur ferme : un vrai château et un jardin en plein rapport. Mais, pour aujourd'hui, on va se contenter d'une petite marche, comme d'habitude, au bord de l'eau, par les champs et par les grèves[1]. »

*
* *

Ainsi passaient les jours. Berthe avait réellement l'impression d'être en vacances. Ses doigts se reposaient du travail des bobines et des broches. Les doigts de Flaubert ne se reposaient pas de la plume – au contraire, depuis qu'elle était là, il n'avait jamais tant écrit –, mais il sentait une nouvelle jeunesse circuler en lui. Le docteur Hardy[2], pensait-il, a raison de dire que je suis une femme hystérique, mais grâce à cette jeune fille, je me *dénévropathise*[3], je respire, je m'allège, je me transforme, et surtout je m'éreinte[4] avec joie. C'est

1. Allusion à une œuvre de Flaubert, *Par les champs et par les grèves* (1881, publication posthume).
2. En 1874, le docteur Hardy a déclaré que Flaubert était une « femme hystérique » et l'a envoyé faire une cure en Suisse.
3. Néologisme. Berthe guérit Flaubert de ses névroses (terme désignant des troubles psychiques).
4. Je m'épuise.

vrai qu'il s'éreintait tous les matins à sa table, mais auprès d'elle, le jour dans la campagne normande, le soir au coin du feu, la nuit au frais du lit, il se régénérait.

« Je suis en train, lui dit-il un jour, de me nettoyer de l'imbécillité du monde. Tu m'y aides beaucoup. Avant, elle me salissait, aujourd'hui elle me fait rire. »

Il brandissait un paquet de courrier, des lettres, des journaux.

« Les injures de folliculaires [1] ! Pour le feu de cheminée de ce soir ! Heureusement qu'il y a une lettre du bon Tourgueneff qui m'écrit du fond de la Scythie [2]. Tu sais ce que c'est, la Scythie ?

– Non.

– Évidemment, tu ne connais rien du monde. Quand j'y pense ! J'ai envie de t'emmener voyager.

– Ce serait bien.

– Ce serait bien, mais je suis trop vieux. Je ne suis plus bon qu'à me coller et me recoller à ma table. »

Il continuait à fouiller le courrier, agitait une lettre.

« Oui, mais voilà ! Le théâtre ne me réussit pas [3] ! Ils m'ont bien eu. Il paraît que je n'y ai plus aucune chance. Si je m'obstine, je risque de m'*exposer aux*

---

1. Terme péjoratif qui désigne de mauvais journalistes.
2. Pays des Scythes, steppes situées au nord de la mer Noire.
3. En 1874, Flaubert a écrit une comédie politique intitulée *Le Candidat*. La représentation est un échec. La pièce n'est pas passée à la postérité.

orages de la rampe[1], voilà comment ils parlent, c'est-à-dire, sans doute, aux injures des bourgeois de Rouen. Parfait ! »

Berthe garda un moment le silence.

« On pourrait faire un théâtre ici, dit-elle tout d'un coup, d'une voix flûtée.

– Quoi ?

– Oui, un théâtre.

– …

– Ce serait drôle. »

Se faisant chatte[2], les yeux pétillants :

« J'aimerais tellement jouer au théâtre.

– Et jouer quoi ?

– Eh bien… justement… le *livre*.

– Tu as perdu la tête ! »

Comme il n'avait pas l'air enchanté de l'idée, elle apporta une rectification qui venait de lui traverser l'esprit.

« Enfin… non… pas le livre, mais toutes ces choses, ces paroles qui lui sont tombées dessus… que vous disiez l'autre jour… C'était si drôle…

---

1. La rampe désigne les bougies qui éclairent le bord du plateau de théâtre placé sous les yeux des spectateurs. « Être sous les feux de la rampe » signifie « être exposé à la vue du public ». Flaubert déclenchera le mécontentement des spectateurs s'il continue d'écrire du théâtre.

2. Câline.

– Quoi ? La critique ? L'éructation de la Bêtise ! Nous n'allons pas mettre cela en scène tout de même ! Merci.

– Non... je veux dire... les discours... le tribunal...

– Ah, le procès ? Curieuse idée !

– Vous savez, le grand carton que vous étiez allé chercher... »

Flaubert, sceptique, retourna vers son armoire et en sortit le vieux dossier. Le propos de Berthe, tout d'un coup, lui paraissait drôle. Il lui semblait entendre la voix de l'Avocat Impérial et celle de son défenseur retentir dans la salle d'audience. Il prêtait en même temps l'oreille au bruit du fleuve, au loin. Après tout, un théâtre du grotesque [1], dans cette pièce, dans cette campagne, pourquoi pas ? Le Maître avait déjà entrouvert le dossier et le parcourait en hochant la tête.

« Je ferai le juge, dit Berthe.

– Et moi ?

– L'accusé, bien sûr. Vous connaissez le rôle. »

Décidément elle l'amusait.

« Tu sais, dans un procès, il faut être au moins quatre. Nous ne sommes que deux.

Qui fera l'avocat ?

– Félicité.

– Quoi ?

---

1. De la caricature difforme et ridicule.

– Félicité est très dévouée à son maître. Elle vous défendra très bien.

– Mais le malheur est que Félicité ne sait pas lire.

– Elle apprendra son rôle. Je sais très bien comment on fait au thcâtrc. On m'a expliqué, à la paroisse. »

Il était de plus en plus éberlué.

« Et le procureur ? »

Elle parut prise de court. Puis, après avoir réfléchi un instant :

« On prendra le perroquet.

– Qu'est-ce que tu dis ?

– Oui, le perroquet. On le fera répéter mieux que personne. Il est très doué. »

*
* *

On put voir et entendre, à quelques jours de là, Berthe, Flaubert, Félicité et le perroquet Loulou se partager les rôles d'une curieuse pièce où tout avait été soigneusement distribué, où les registres étaient répartis de la plus originale façon, puisque c'étaient les voix et les timbres qui, par leurs alternances, réglaient le tempo de cet incroyable théâtre. Berthe, enfantine et appliquée. Flaubert parodique et déclamatoire. Félicité bégayante et terrifiée. Le perroquet, rauque et affreux. La vaste salle de travail, ses fenêtres, ses vitres, la campagne environnante en vibraient de solennité et de comique. Le déroulement du procès avait ses lois, son rythme, chacun intervenant à son tour, mais, à la fin, quand tombait le verdict, c'était une vraie polyphonie [1].

Comme le jugement prononcé était interminable, ils se le partageaient entre eux tous, brouillant allégrement la distribution des rôles. On entendait Flaubert proclamer que certains passages du livre incriminé, *envisagés abstractivement et isolément, présentent effectivement soit des images soit des tableaux que le bon goût réprouve et qui sont de nature à porter atteinte à de légitimes et honorables susceptibilités.* Le perroquet reprenait alors de son timbre éraillé : *De légitimes et honorables susceptibilités.* Là-dessus, Félicité enchaînait, progressant à tâtons dans la sinuosité d'une immense phrase et trébuchant sur chaque mot : *Attendu que les mêmes observations peuvent s'appliquer justement à d'autres passages non définis par l'ordonnance de renvoi* [2] *et qui, au premier abord, semblent présenter l'exposition de théories qui ne seraient pas moins contraires aux bonnes mœurs, aux institutions qui sont la base de la société qu'au respect des cérémonies qui sont à la base du culte…* Loulou en écho : *Les cérémonies qui sont à la base du culte.* Flaubert s'avançait alors au milieu de la pièce, et la main sur le cœur, dans une

1. Un mélange de plusieurs voix.
2. Mise du prévenu à la disposition du tribunal par le juge d'instruction.

pose d'acteur, « gueulait[1] », comme seul il savait le faire, un grand morceau, un bon ton au-dessus de tout ce qu'on venait d'entendre : *Attendu qu'à ces divers titres l'ouvrage déféré au tribunal mérite un blâme sévère, car la mission de la littérature doit être d'orner et de recréer l'esprit en élevant l'intelligence et en épurant les mœurs plus encore que d'imprimer le dégoût du vice en offrant le tableau des désordres qui peuvent exister dans la société...* C'était le moment pour lequel Berthe se réservait. Elle voulait prononcer le dernier des *attendus*[2]. Elle avait décidé de le faire avec une gravité sentencieuse[3] à laquelle son inexpérience donnait le charme d'une récitation d'écolière. Le jeu semblait tout d'un coup prendre un tour sérieux. Une voix claire et appliquée de jeune fille énonçait : *Attendu que les prévenus et en particulier Gustave Flaubert repoussent énergiquement l'inculpation dirigée contre eux, en articulant que le roman soumis au jugement du tribunal a un but éminemment moral, que l'auteur a eu principalement en vue d'exposer les dangers qui résultent d'une éducation non appropriée au milieu dans lequel on doit vivre et que, poursuivant cette idée, il a montré la femme, per-*

1. Référence à l'exercice du « gueuloir » ainsi nommé par Flaubert et qui désigne la manière qu'il avait de hurler ses textes afin d'en éprouver, par le passage à l'oral, la fluidité et le rythme.
2. Terme juridique qui désigne ce qui sert à introduire les motifs d'un jugement.
3. Excessivement solennelle.

sonnage principal de son roman, aspirant vers un monde et une société pour lesquels elle n'était pas faite, malheureuse de sa condition modeste dans laquelle le sort l'avait placée, oubliant d'abord ses devoirs de mère, manquant ensuite à ses devoirs d'épouse, introduisant successivement dans sa maison l'adultère et la ruine... Peu à peu des tremblements légers, de frêles palpitations altéraient la douce voix qui tentait pourtant de rester ferme. Mais un brouillard de larmes la noyait :... *Et finissant misérablement par le suicide, après avoir passé par tous les degrés de la dégradation la plus complète et être descendue jusqu'au vol...*

Maintenant Berthe était au bord des sanglots. Tout avait changé. La mauvaise farce avait laissé place à un soliloque[1] du malheur. Heureusement que le perroquet, avec un à-propos incomparable, vint le rompre. Il lança à la cantonade, plus rogommeux[2] que jamais : *Le tribunal les acquitte.*

Ce fut comme si Berthe sortait d'un état hypnotique. Elle se réveilla et sécha ses larmes d'un seul coup.

« Quoi, vous êtes acquitté ? »

Flaubert :

« Eh bien, oui.

– Drôle de justice !

– Merci ! Tu es charmante. Adorable actrice, au demeurant. Je ne comprends plus rien.

---

1. Discours d'une personne à elle-même.
2. Enroué.

– Il n'y a rien à comprendre. Rien. Vous avez tous très bien joué, c'est l'essentiel. »

C'était vrai qu'ils avaient bien tenu leurs partitions [1]. Mais ils en paraissaient accablés, épuisés, comme s'ils s'étaient trop engagés dans la vérité de ces rôles, sans que la bouffonnerie de la parodie les eût mis à l'abri d'un réel malaise. Félicité s'était laissée tomber sur une chaise, haletante, à moitié morte des efforts qu'elle avait fournis et de la confusion qu'elle ressentait, s'épongeant le front de son chiffon de cuisine. Berthe qui flottait non plus dans la chemise nubienne, mais dans un grand sarrau [2] noir qu'elle avait sorti d'un placard pour se déguiser en juge et qui lui donnait en fait un air de médecin de Molière, n'arrivait pas à sécher ses yeux rouges. Flaubert toussait, avait du mal à reprendre souffle. Seul Loulou sur son perchoir roulant des yeux ronds et aiguisant son bec paraissait indifférent et indemne.

« C'est cela la Justice et c'est cela le Théâtre ! » dit le Maître.

*
* *

L'automne arrivait doucement, mais Berthe se sentait tellement en vacances qu'elle ne voyait pas passer

---

1. Qu'ils avaient bien joué leurs rôles.
2. Blouse.

la saison. De promenades en soirées au coin du feu – les nuits étaient de plus en plus fraîches –, elle se laissait porter par la vie inattendue que lui offrait son vieux compagnon de hasard. De hasard oui, car serait-elle venue en ces lieux sans le livre que lui avait remis Napoléon ? Elle n'avait jamais connu, depuis son enfance, ni repos ni loisir. Les images d'une vie heureuse qu'elle avait pu goûter fugitivement dans un lointain passé de petite fille étaient trop estompées pour revenir à sa mémoire : et de toute façon le livre les avait brouillées, détruites, ruinées, abolies, elle était sûre maintenant qu'il n'y avait pas eu d'enfance heureuse, mais la douleur, le désordre, les larmes, la mort. De la tante qui l'avait recueillie, elle ne savait plus rien. De la filature où on l'avait placée, elle savait tout : les coins noirs, les rangées de tabourets, la chaîne de tissage, le travail aux pièces, les gestes éternellement répétés. C'était son univers, elle ne pouvait s'en échapper.

Et voilà que, tout d'un coup, elle était là, elle était libre, dans cette campagne. Elle n'avait à faire ni la cuisine ni le ménage. Mieux encore, elle retrouvait au fond d'elle-même un entrain pour la vie qu'elle ne connaissait pas. Et le plus étonnant était qu'il lui fût communiqué par ce vieux bonhomme qui prétendait ne dire et ne croire que ce qu'il voyait, mais dont l'imagination bondissait comme un jeune cabri.

Les jeunes gens qu'elle avait rencontrés lui avaient paru tristes, maladroits, niais, dans ce pays normand où ils ne savaient guère que s'imbiber de cidre ou rire aux plaisanteries de caserne, ou alors soigner des chevaux et des vaches toute leur vie comme Napoléon. Flaubert, au contraire, avec ses histoires, l'émerveillait. Avec son air toujours malade, il lui donnait la santé. Avec son humeur ronchonneuse, il la mettait en joie. Et, ce qui était vraiment prodigieux, elle se découvrait, à ses côtés, des appétits et des plaisirs qui n'auraient pas dû être ceux de ses vingt ans. Cela l'inquiétait un peu, mais, depuis qu'elle avait lu ce qu'il avait écrit, plus rien ne l'étonnait vraiment. Un jour qu'il marchait au bord de la mer avec elle, son bras passé sous le sien, il retourna du pied un paquet de goémons [1] qui traînait sur la grève.

« Drôles de crinières [2] ! » dit-il.

Elle ne comprenait pas ce qu'il voulait dire et restait muette devant la marée qui descendait.

« Eh oui, des chevelures vertes ! »

Comme elle semblait attendre une explication :

« J'ai raconté un jour une histoire bizarre [3], dit-il, où l'on voit un ermite qui s'empêtre dans des goémons. Il vit en réalité dans le désert. Mais, le soleil lui frappant sur le crâne, il a des visions, des hallucinations. Il voit

1. Mélange d'algues, que l'on utilise notamment comme engrais.
2. La vision de l'artiste fait du réel une métaphore.
3. Il s'agit de *La Tentation de saint Antoine*, récit dont Flaubert a écrit une première version avant *Madame Bovary*. Il en a publié la version définitive en 1874.

des goémons. Ou plutôt, il voit des dieux, des idoles de tous les âges avec des plumes et des peaux cousues sur le corps, des goémons sur la tête. Tout cela dans un cortège grimaçant. Et moi, maintenant je vois ces paquets de chevelures vertes, pourries, sur le sable. Il n'y a plus d'idoles. Plus de dieux. Plus rien. Seulement toi et moi. »

On entendait le battement régulier de la mer au loin. Berthe restait perplexe, silencieuse, regardant de menus coquillages qui brillaient dans le sable à ses pieds. Il se pencha vers elle, embrassa la nuque qu'ourlait un fin duvet blond. Elle frissonna. Il lui proposa sa vieille cape. Mais elle n'avait pas froid. L'après-midi était doux et encore tiède. Il la prit par les épaules et ils poursuivirent leur chemin.

*
* *

À quelque temps de là, un matin, Félicité ressentit une émotion en entendant le heurtoir de l'entrée cogner très fort le bois de la porte. Qui frappait avec cette véhémence ? Elle s'essuya en hâte les mains à son tablier pour aller ouvrir et eut la surprise de voir sur le seuil un personnage hautement chapeauté, accompagné d'une religieuse. Il se présenta tout de suite comme un inspecteur du Secours Mutuel [1] et désigna la religieuse comme

1. Une société de Secours Mutuel est une organisation fondée sur l'entraide, qui permet de prévenir ou d'apaiser un certain nombre de maux.

une des contremaîtresses de la filature où Berthe était ouvrière. C'était elle qu'ils recherchaient. Le sang de Félicité ne fit qu'un tour et elle ne sut dire en bégayant que :

« Je… je vais… chercher monsieur… »

Les visiteurs semblaient se demander s'ils devaient ou non franchir le seuil de la porte. Ils regardaient avec une sorte d'inquiétude la haute façade de la demeure, pénétrés sans doute de la difficulté de leur mission.

Ce qui arrivait était en fait prévisible. Berthe, étourdie par la douceur de son séjour à Croisset, en était venue à oublier les règles de son travail qui étaient sévères et la durée de son congé qui était très courte. Elle ne s'était pas présentée à la fabrique le jour où on l'attendait. Après un temps d'incertitude, on avait décidé de mener une enquête sur elle. L'homme et la femme qui avaient cogné à la porte venaient pour cela. Félicité les rejoignit en trottinant et les fit entrer dans la grande salle, où ils attendirent en jetant des regards suspicieux de tous les côtés.

Flaubert arriva, en gilet à côtes, et les fit asseoir. L'inspecteur, qui avait ôté son chapeau en entrant et le tenait maintenant sur ses genoux, toussota comme s'il hésitait à prendre la parole. C'était un homme grand et maigre, serré dans une étroite redingote, dont le visage rude, orné d'abondants favoris[1] roux, pouvait faire songer à celui d'un policier. Mais, précisément, il dit :

1. Touffes de barbe qu'on laisse pousser sur les joues, tandis que le menton est rasé.

« Je ne suis pas un policier. Je suis un inspecteur de la Société de Secours Mutuel et, si je suis ici, c'est à la demande de la Société de Saint-Vincent-de-Paul dont voici une des représentantes. Beaucoup de sociétés, me direz-vous. C'est un fait. Mais, si vous me permettez un méchant jeu de mots, c'est parce que notre société a besoin de se protéger et de se défendre qu'elle a besoin de l'aide de nombreuses sociétés fraternelles.

– Bien, dit Flaubert. Venons au fait. »

Il toussota de nouveau, pressant ses mains sur son chapeau.

« Nous sommes chargés d'enquêter sur la situation d'une jeune ouvrière qui n'a pas repris son travail au jour stipulé par les engagements inscrits sur son livret de travail. Les informations dont nous disposons nous laissent à penser qu'elle est actuellement à votre domicile, c'est-à-dire en ces lieux. »

Il promenait un regard à la fois réprobateur et angoissé sur les murs de l'immense pièce, tandis que la religieuse, sous sa cornette [1], semblait ânonner [2] des prières. Il apparut vite que les informations dont il avait fait état venaient de Napoléon Homais.

« Eh bien, oui, dit Flaubert, elle est ici !

– Où donc ?

– Dans mon... dans le lit... dans un lit. Elle dort encore. »

---

1. Coiffe de religieuse.
2. Réciter de manière mécanique.

La religieuse se signa. L'inspecteur toussa une fois de plus.

« Et… vous êtes un de ses parents… ? Son oncle, peut-être ?

– Non. Comment vous dire ?… C'est un peu plus compliqué que ça.

– Un ami de la famille ?

– Pas exactement. Mais si vous voulez.

– Vous l'avez recueillie ?

– Pas du tout.

– Vous êtes marié ?

– Non.

– Veuf ?

– Non.

– Célibataire ?

– C'est ça. Ah, les célibataires ! Tous égoïstes et débauchés. J'ai lu ça dans un dictionnaire de ma connaissance [1]. »

Décidément l'inspecteur ne comprenait pas et manifestait un embarras de plus en plus grand.

« Je vois que vous plaisantez. Je dois vous paraître indiscret. Mais il nous faut être très vigilant avec des orphelines. Je n'ai pas besoin de vous exposer les périls qui guettent les classes laborieuses et minent leur mora-

---

1. Flaubert a écrit un *Dictionnaire des idées reçues* (1913, publication posthume), dans lequel il répertorie un certain nombre de clichés témoins de la bêtise bourgeoise selon lui. L'inspecteur est un digne représentant de cette dernière !

lité. L'alcoolisme pour les hommes. Et pour les femmes… vous me suivez. Cela s'est aggravé considérablement au cours des dix dernières années avec les événements que vous connaissez. Et je ne parlerai pas de la paresse généralisée, de l'absence de conscience professionnelle… La jeune personne que nous recherchons aurait dû reprendre son travail… Le sous-préfet a établi un mandat d'amener [1]. Les lois nous autorisaient à lancer la gendarmerie à ses trousses. Nous ne l'avons pas fait, préférant la voir et discuter avec elle. Pouvons-nous la rencontrer ?

– Bien sûr que vous pouvez. Vous lui tirerez les oreilles, si vous le souhaitez, et tout rentrera dans l'ordre.

– Ce n'est peut-être pas si simple que cela. Vous ne m'avez toujours pas expliqué… »

Mais Flaubert, d'une voix tonitruante, avait déjà appelé Félicité pour lui demander de faire lever Berthe. Elle arriva au bout d'un moment, chiffonnée, mal réveillée, les cheveux curieusement nattés, revêtue pourtant d'une robe de campagne seyante, aux couleurs vives, qu'elle avait eu le temps de passer. Cette tenue qui sans doute ne correspondait pas à l'austérité de la tâche des ouvrières fileuses parut offusquer la religieuse qui serra aussitôt Berthe dans ses bras comme pour la

1. Ordre ayant pour objet la comparution ou l'arrestation de l'inculpé.

préserver de quelque mal. La jeune fille se dégagea d'un geste nerveux. L'inspecteur fronça le sourcil.

« Vous n'ignorez pas, lui dit-il, que vous êtes en situation irrégulière. Pouvez-vous m'en expliquer la raison ? »

Berthe esquissa d'abord une moue boudeuse. Puis, comme prise d'un soudain besoin de persiflage [1] :

« C'est que… je suis très bien ici… »

L'inspecteur devint cramoisi [2].

« Vous êtes peut-être très bien chez votre oncle… »

Flaubert l'interrompit sèchement.

« Je vous ai dit que ce n'était pas ma nièce. Ma nièce s'appelle Caroline. Elle n'a rien de commun avec elle. »

L'inspecteur fit semblant de ne pas entendre et s'adressant de nouveau à Berthe :

« Savez-vous ce que vous risquez ?

– Le couvent peut-être ? Ou la prison plutôt ?

– En effet. Mais vous n'avez pas, mademoiselle, à prendre les choses sur ce ton. Le cas où vous vous êtes mise est plus grave que vous ne pensez. Que faisiez-vous ici ?

– Nous faisions, dit Flaubert, du théâtre ! »

Et il accompagna son propos d'un geste effectivement théâtral. La religieuse se signa de nouveau.

L'inspecteur paraissait contrarié. Il se leva de son fauteuil, fit quelques pas à travers la pièce en dodelinant

1. Moquerie, ironie.
2. Rouge foncé tirant sur le violet.

de la tête[1], tenant derrière le dos son chapeau qui battait sur les pans de sa redingote. Puis, se retournant vers Flaubert :

« Écoutez, il vaudrait mieux que mademoiselle soit entendue par la sœur contremaîtresse et que nous discutions ensemble, vous et moi. Qu'en pensez-vous ? »

Il avait dit « soit entendue » exactement comme s'il devait s'agir d'une confession. De fait, la religieuse avait déjà saisi Berthe, assez rudement, par le poignet et l'entraînait dans une autre pièce.

« Pas par ici », dit Flaubert en montrant sa chambre.

La religieuse hésita un moment, puis choisit la cuisine. Félicité et son perroquet la virent arriver avec effarement.

Resté seul avec Flaubert, l'inspecteur se rassit et rapprocha son siège du sien.

« Je vous parle d'homme à homme, dit-il. Nous sommes très préoccupés de la conduite de cette jeune fille. Ce n'est pas sa première fugue même si celle-ci n'en est pas tout à fait une. Vous savez à quel point l'immoralité règne partout aujourd'hui. Il ne faudrait pas… »

Il semblait ne pas trop savoir comment tourner sa phrase.

« Il ne faudrait pas quoi ?

– Qu'involontairement vous aggraviez son cas.

---

1. En secouant doucement la tête.

– Soyez tranquille. De toute façon, rien de ce que je fais n'est involontaire. Je ne laisse rien au hasard [1], figurez-vous.

– C'est du réalisme un peu brutal.

– Vous avez dit le mot : du réalisme [2]. »

Il rapprocha encore son siège.

« Puisque vous êtes réaliste, vous appréciez sûrement la situation pour ce qu'elle est, et vous pouvez certainement nous aider.

– Comment ?

– En nous renseignant sur les antécédents de cette jeune fille.

– Je vous ai dit que…

– Vous étiez un ami de la famille. À ce titre, vous devez être informé.

– Informé de quoi ? »

Il baissa la voix, comme s'il avait de véritables confidences à chuchoter.

« Nous possédons sur elle, comme sur toutes les orphelines d'ailleurs, une fiche assez précise qui indique que la famille a été agitée par…

– Par ?

– Certains désordres.

– Ah !

---

1. Bien évidemment, Raymond Jean évoque ici le travail maniaque de Flaubert qui récrit sans cesse ses brouillons.
2. Jeu avec le mot « réalisme » : employé dans un sens commun par l'inspecteur et au sens de mouvement littéraire par Flaubert.

– Du côté de la mère notamment… dont la conduite ne semble pas avoir toujours été irréprochable…

– Ah !

– Tout cela a fini dans l'horreur, les dettes et le poison.

– Ah !

– Vous étiez au fait ?

– Euh… oui… non… peut-être…

– Vous aviez des soupçons ?

– Pas exactement. »

Il avança encore un peu son siège.

« Or vous savez ce qu'est l'hérédité ! Voilà le vrai sujet de notre inquiétude. Les progrès de la science, qui se développent d'un pas rapide, vous le constatez tous les jours autant que moi, montrent que l'hérédité est la clé de tout. Bientôt elle gouvernera la biologie, la médecine, la politique, la littérature [1]. Tout.

– Vous pensez ?

– Non seulement je le pense, mais je vous montre où je veux en venir. Si cette fille a eu une mère dévergondée, elle risque de devenir très vite dévergondée elle-même. Nous en avons, hélas, des indices. Je vous ai dit que ce n'était pas sa première fugue. Elle a l'air

---

1. L'inspecteur annonce ici le mouvement littéraire qui succède au réalisme : théorisé par Zola, le naturalisme applique une méthode scientifique à la littérature. Dans sa série *Les Rougon-Macquart*, Zola s'emploie notamment à éprouver les lois de l'hérédité.

d'une pauvresse comme cela, quand on la voit à l'atelier. Mais, par moments, elle a des manières...

– Quelles manières ?

– Des manières effrontées. D'ailleurs vous l'avez vu vous-même tout à l'heure, quand nous sommes arrivés.

– Alors ?

– Comme membre de la Société de Secours Mutuel, je suis chargé de veiller sur la sécurité des orphelines.

– Je vois. »

De nouveau l'embarras. Une grande hésitation à continuer.

« Je vous avoue que sur le moment, j'ai craint de votre part je ne sais quelle coupable indulgence, quelle... complicité. Après tout, vous l'hébergez sous votre toit. Mais je vois maintenant à qui j'ai affaire. Un homme de droiture et d'honneur. Dont la respectabilité et le sens moral ne font aucun doute. Je suis rassuré. »

Il jetait en même temps sur la pièce, sur les meubles, sur les tentures, sur les objets d'art, sur tous les « biens » qui semblaient faire de son interlocuteur un authentique propriétaire, un regard circulaire qui le rassurait.

« C'est pourquoi, reprit-il, je vous invite à la prudence. Vous connaissez comme moi les troubles qui ont ensanglanté Paris il n'y a pas si longtemps [1]. Je ne sais pas ce que vous en pensez...

---

1. Allusion à la Commune, insurrection populaire parisienne, qui eut lieu de mars à mai 1871 et fut réprimée dans le sang.

– Pas tellement de bien [1]. »

Il parut satisfait.

« Nous pouvons donc nous entendre. J'étais là, figurez-vous, le 18 mars, lorsque la populace a marché vers le Château-Rouge. Je n'ai jamais rien vu de si effrayant de ma vie. Des hordes de femmes, d'enfants derrière les hommes. Je dis bien de femmes. Il fallait voir ! Des fleuristes, des boutiquières, des blanchisseuses, des couturières, des boniches même. Tout cela sur le pavé ! Dépenaillées, déchaînées, folles de leurs corps. Vous comprenez que je sois maintenant circonspect [2], lorsqu'il s'agit des ouvrières et de leur moralité. Tout cela suait la dépravation.

– Je vois.

– Vous êtes d'accord avec moi ?

– Je n'ai, hélas, pas de sympathie particulière pour ce que vous appelez la populace. Son ineptie [3] est

1. « [...] je n'ai de sympathie pour aucun parti politique ou pour mieux dire je les exècre tous, parce qu'ils me semblent également bornés, faux, puérils, s'attaquant à l'éphémère, sans vues d'ensemble et ne s'élevant jamais au-dessus de l'utile. J'ai en haine tout despotisme. Je suis un libéral enragé. C'est pourquoi le socialisme me semble une horreur pédantesque qui sera la mort de tout art et de toute moralité. J'ai assisté en spectateur à presque toutes les émeutes de mon temps », écrivait déjà Flaubert en 1857 (lettre à Mlle Leroyer de Chantepie, 30 mars 1857).

2. Prudent.

3. Sa bêtise.

énorme. La foule est aussi féroce que les bourgeois[1]. Et ses procédés pires que ceux de Badinguet[2] ou du Moyen Âge. Je vous le concède. On l'a vu.

– Oui, mais vous ne savez pas tout. Pour ce qui concerne les femmes, l'entreprise d'cxcitation était systématique. Tenez. »

Il chercha au fond de la poche intérieure de sa redingote un papier, sans doute précieux à ses yeux, qu'il déplia avec de très grandes précautions.

« Je vais tout vous dire. J'étais déjà inspecteur en ces années-là. Mais pas au Secours Mutuel. Chargé d'une mission de surveillance un peu plus… spéciale. Eh bien, voilà un document que je conserve : lisez. »

Il montra une sorte de placard[3] jauni sur lequel on pouvait lire : *République Française, Commune de Paris*, et au-dessous : *Manifeste du Comité central de l'Union des Femmes*.

« Vous vous rendez compte ? L'Union des Femmes !

– En effet.

– Vous voyez à quoi on a échappé ?

– Je vois. »

Flaubert commençait à sérieusement s'impatienter. Mais la porte de la cuisine s'ouvrit et l'on vit revenir Berthe, escortée de la religieuse et de Félicité. Elle avait

---

1. La misanthropie de Flaubert n'épargne personne, l'inspecteur pas plus qu'un autre, mais l'inspecteur ne s'en rend pas compte !
2. Surnom donné à Napoléon III.
3. Affichette.

complètement changé d'allure. Elle avait troqué sa robe de couleur contre une blouse grise et ses nattes contre un chignon. Son visage était pâle et contrit.

« Tout est arrangé, dit la sœur. Elle se repent.

– Nous espérons, dit l'inspecteur, qu'elle ne fera pas d'autres fugues. »

Et se tournant vers Flaubert :

« Nous comptons sur vous. »

Il y eut un moment de lourd silence. Puis, le Maître mettant les pouces dans les poches de son gilet :

« J'espère qu'elle reviendra de temps en temps, le dimanche. Je n'ai plus longtemps à vivre. »

La religieuse se signa pour la troisième fois. Flaubert s'approcha alors de Berthe, se pencha vers elle et déposa sur son front un baiser. Elle finissait de nouer son balluchon, lorsqu'elle s'aperçut qu'elle avait oublié un objet personnel : un livre. Elle alla le chercher en hâte et l'enfouit au milieu de ses linges.

« Un livre ! dit l'inspecteur. Attention ! »

Et à l'adresse de Flaubert :

« Vous n'allez tout de même pas la laisser partir avec un livre [1] !

---

1. Dans *Madame Bovary*, les livres sont également suspectés d'empoisonner l'âme des jeunes filles : ils sont introduits en cachette dans le pensionnat d'Emma (*Madame Bovary*, éd. citée, p. 95), sa belle-mère traite le libraire « d'empoisonneur » (*ibid.*, p. 199). Et le tribunal reproche précisément à Flaubert l'immoralité de son roman.

– Que voulez-vous, un souvenir !

– Mais vous ne craignez pas… ?

– Si, je crains. »

L'inspecteur hésita à sortir, puis se décida en soupirant :

« Ah, monsieur, l'Immoralité ! »

Félicité, les yeux humides, fit un signe d'adieu de son mouchoir. Le perroquet Loulou, perché sur son épaule, répéta :

« L'Immoralité ! »

De *Madame Bovary* à *Mademoiselle Bovary*

À George Sand

Paris, samedi soir [27 mars 1875]

Chère maître,

Je maudis une fois de plus la manie du dramatique et le plaisir qu'éprouvent certaines gens à annoncer des nouvelles considérables. On m'avait dit que vous étiez très malade. Votre bonne écriture est venue me rassurer hier matin, et ce matin j'ai reçu la lettre de Maurice [*Note de l'Éditeur* : fils de George Sand] ; donc Dieu soit loué !

Que vous dire de moi ? Je ne suis pas raide. J'ai ?... je ne sais quoi. Le bromure de potassium m'a calmé et donné un eczéma au milieu du front.

Il se passe dans mon individu des choses anormales. Mon affaissement psychique doit tenir à quelque cause cachée. Je me sens vieux, usé, écœuré de tout. Et les autres m'ennuient comme moi-même.

Cependant je travaille, mais sans enthousiasme et comme on fait un pensum, et c'est peut-être le travail qui me rend malade, car j'ai entrepris un livre insensé. [...]

C'est pour ne pas vous ennuyer de mes plaintes que je vous écris maintenant si rarement, car personne plus que moi n'a conscience de mon insupportabilité. Envoyez-moi *Flamarande* [*NdÉ* : roman de George Sand paru en 1875], ça me donnera un peu d'air.

Je vous embrasse tous, et vous surtout, chère maître, si grand, si fort et si doux. Votre Cruchard de plus en plus fêlé, si fêlé est le mot juste, car je sens le contenu qui fuit.

- **Doc. 2** : lettre de Flaubert à George Sand.

Entre réalité et fiction : *Mademoiselle Bovary*, un récit très documenté

À la différence des autres protagonistes *de Mademoiselle Bovary*, Flaubert n'est pas un personnage purement imaginaire. Pour créer ce dernier (et, avec lui, une mise en abyme particulière), à mi-chemin entre la fiction et le réel, Raymond Jean s'appuie sur les nombreuses sources existantes (tableaux, correspondance, témoignages). S'adossant à cette documentation précise, il donne forme à une fantaisie invraisemblable mais en partie véridique, qui met en lumière les deux visages de Flaubert : l'homme de lettres et l'homme à femmes.

Flaubert, l'homme de lettres

Dans le roman de Raymond Jean, c'est en 1877 que Berthe rend visite à Flaubert. Il a alors cinquante-cinq ans [1] et le portrait que donne de lui l'auteur de *Mademoiselle Bovary* est fidèle aux informations compulsées par les biographes. Flaubert a publié *Madame Bovary* vingt ans auparavant. Grâce, entre autres, à la publicité occasionnée par son procès, cette

1. Voir note 1, p. 44.

œuvre a rencontré un grand succès et fait de lui un écrivain de premier plan, dont le talent a de nouveau été salué en 1862, lors de la parution de *Salammbô*. Si, en 1869, son roman *L'Éducation sentimentale* n'a pas connu l'accueil escompté, et si, en 1874, il a essuyé deux échecs – son roman *La Tentation de saint Antoine* et sa pièce de théâtre *Le Candidat* ont fait l'objet de nombreuses critiques –, Flaubert reste un auteur reconnu et soutenu par des personnalités importantes. De cet appui Raymond Jean fait état dans son récit, évoquant l'aide que lui offrent la princesse Mathilde et l'écrivain Tourgueniev (p. 44).
En 1877, Flaubert a entrepris la rédaction des *Trois Contes* et de *Bouvard et Pécuchet*, un roman pour lequel il rassemble des montagnes de documentation et qui restera inachevé. Intense, cette activité littéraire est habilement exploitée par Raymond Jean, qui montre un écrivain rivé à sa table de travail mais aussi tellement habité par son œuvre que sa fiction en vient à s'immiscer dans sa réalité : Félicité, l'héroïne d'*Un cœur simple*, devient la propre servante de Flaubert !
Si Flaubert travaille autant, c'est parce qu'il est dans une situation difficile sur le plan personnel : comme son personnage l'indique à Berthe dans *Mademoiselle Bovary*, il se trouve ruiné à la suite de la mauvaise gestion de son patrimoine par le mari de sa nièce (p. 37), aigri par son échec au théâtre et très affecté par la mort de son amie George Sand (p. 35) avec qui il échangeait des lettres parfois signées « Votre Cruchard » (**voir doc. 2, p. 88**).
De plus en plus misanthrope, Flaubert vit en reclus dans la propriété familiale de Croisset. La maison a aujourd'hui disparu, mais Raymond Jean nous en donne un aperçu vraisemblable (p. 20). Il évoque en particulier avec précision le cabinet de travail de Flaubert, s'appuyant manifestement sur les documents textuels et visuels qu'on peut trouver à son

• **Doc. 3** : maison de Flaubert, à Croisset, par Gustave Fraipont (1849-1923). En 1863, voici la description que les frères Goncourt en font : « une jolie habitation à la façade Louis XVI [...]. Deux fenêtres donnent sur la Seine et laissent voir l'eau et les bateaux qui passent ; trois fenêtres s'ouvrent sur le jardin, où une superbe charmille semble étayer la colline qui monte derrière la maison » (Edmond et Jules de Goncourt, *Journal : mémoires de la vie littéraire*, 1891).

• **Doc. 4** : cabinet de travail de Flaubert à Croisset, par Georges Rochegrosse, 1874.

sujet (**voir doc. 3 et doc. 4, p. 91**). Là, Flaubert se livre avec acharnement à ses projets littéraires. *Mademoiselle Bovary* souligne la difficulté que l'écrivain a éprouvée pour écrire *Madame Bovary*, ayant « trim[é] et su[é] », s'étant « [crevé] les yeux sur chaque ligne » (p. 58). Ces passages se fondent sur les brouillons de Flaubert, volumineux et sans cesse modifiés, amendés par lui (**voir doc. 5, ci-contre**), et font aussi écho aux nombreuses plaintes de l'écrivain dans sa *Correspondance*. Ainsi écrit-il le 25 juin 1876 à son ami Tourgueniev : « Je me suis remis à l'eau froide (une hydrothérapie féroce) et je travaille comme un furieux. Mon histoire d'*Un cœur simple* sera finie sans doute vers la fin août. Après quoi, j'entamerai *Hérodias* ! Mais que c'est difficile ! Nom de Dieu, que c'est difficile ! Plus je vais et plus je m'en aperçois. Il me semble que la prose française peut arriver à une Beauté dont on n'a pas l'idée. [...] Toute ma journée se passe les jalousies closes, dans la compagnie exclusive de moi-même. »
Au regard de ce labeur incessant et de la mélancolie ressentie par l'écrivain ruiné et inquiet, la présence de Berthe apparaît comme une distraction, un cadeau offert par Raymond Jean à son illustre prédécesseur. Là aussi, les visites répétées de la jeune femme trouvent une justification dans la correspondance de Flaubert elle-même (**voir doc. 6, p. 94**).

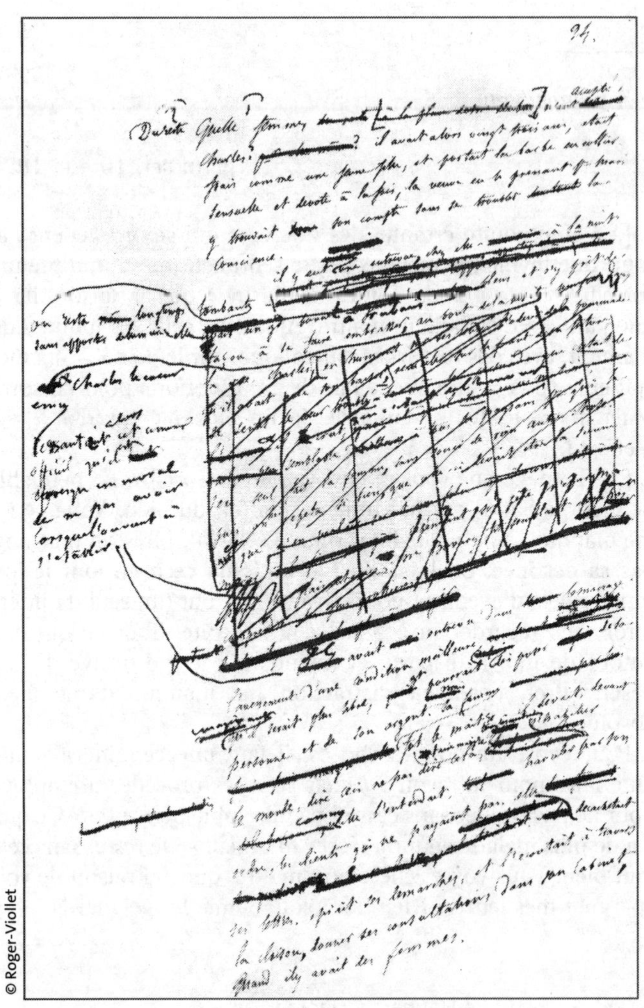

• **Doc. 5** : page de brouillon pour *Madame Bovary*.

À George Sand

[Croisset, 10 mai 1875]

[…] Une goutte errante, des douleurs qui se promènent partout, une invincible mélancolie, le sentiment de « l'inutilité universelle » et de grands doutes sur le livre que je fais, voilà ce que j'ai, chère et vaillant maître. Ajoutez à cela des inquiétudes d'argent, avec des retours mélancoliques sur le passé. Voilà mon état et je vous assure que je fais de grands efforts pour en sortir. Mais ma volonté est fatiguée. Je ne puis me décider à rien d'effectif.

[…] La page que vous m'envoyez sur Aurore [*NdÉ* : petite-fille de George Sand] qui lit Homère m'a fait du bien. Voilà ce qui me manque : une petite-fille comme celle-là ! Mais on n'arrange pas sa destinée, on la subit. J'ai toujours vécu au jour le jour sans projets d'avenir et poursuivant mon but (un seul, la littérature) sans regarder ni à gauche ni à droite. Tout ce qui était autour de moi a disparu, et maintenant je me trouve dans le désert. Bref, l'élément distraction me manque d'une façon absolue.

Pour écrire de bonnes choses, il faut une certaine alacrité ! Que faire pour la ravoir ? Quels sont les procédés à employer pour ne pas songer sans cesse à sa misérable personne ? Ce qu'il y a de plus malade en moi, c'est « l'humeur » ; le reste, sans cela, irait bien. Vous voyez, chère bon maître, que j'ai raison de vous épargner mes lettres. Rien n'est sot comme les geignards.

• **Doc. 6** : lettre de Flaubert à George Sand.

Flaubert, l'homme à femmes

En 1876, Flaubert n'a pas exactement le physique d'un séducteur. La description qu'en donne Raymond Jean (p. 21) est fidèle aux portraits qu'on trouve de l'écrivain (**voir doc. 1, p. 12**).

Pourtant, Flaubert aime les femmes. Et il est aimé d'elles. Il a vécu une jeunesse libre. Là encore, sa correspondance témoigne, de manière souvent très crue, de ses nombreuses aventures érotiques. De son voyage en Orient accompli entre 1849 et 1851 avec son ami Maxime Du Camp, il a rapporté quelques objets, comme la tunique nubienne, des bibelots et statuettes utilisés par Raymond Jean. Il en a aussi rapporté quelques souvenirs sensuels, dont celui de la belle courtisane Kuchuk-Hanem (**voir doc. 7, p. 96**). Bien qu'il semble tout droit sorti des *Mille et Une Nuits*, ce personnage oriental fait partie des éléments réels de la biographie de Flaubert sur lesquels s'appuie Raymond Jean. On possède le récit de leurs rencontres érotiques par Flaubert dans sa correspondance à son ami Louis Bouilhet (lettres du 16 mars 1850 et du 27 mars 1853), et dans un poème de ce dernier paru dans *Festons et Astragales* en 1859.

Si Berthe achoppe un peu sur le nom étrange de cette lointaine rivale, elle prend surtout ombrage des autres relations féminines de son vieil amant, notamment George Sand. Elle est aussi particulièrement jalouse de Caroline, la nièce de Flaubert, avec qui ce dernier échangea une abondante correspondance.

• **Doc. 7** : daguerréotype d'une courtisane (v. 1850) correspondant à l'image qu'on peut se faire de Kuchuck-Hanem à partir de la description que Flaubert donne d'elle.

À votre tour

Et si Flaubert demandait des comptes à Raymond Jean ?

Il n'y a pas de raison pour que la mise en abyme s'arrête en si bon chemin ! Flaubert lit le récit de Raymond Jean et décide à son tour d'aller demander des comptes à son auteur. Comme l'a fait Berthe, il vient donc frapper à la porte du romancier, le livre à la main. Imaginez le dialogue qui s'instaure entre Flaubert et Raymond Jean au sujet de cet épisode avec la fille d'Emma. Vous vous interrogerez sur le fond de leur discussion : si, dans *Mademoiselle Bovary*, Berthe et l'écrivain refont le « procès du réalisme », qu'en sera-t-il ici ?

Récrire Flaubert

Tout texte est un tissu

Historiquement, au même titre que l'argile ou le papyrus, le tissu a été un des supports de l'écriture. Texte et textile ont la même étymologie : tous deux viennent du verbe « tisser » en latin. Et, comme le tissu, le récit repose sur une trame... Au XXe siècle, les critiques mettent à profit la proximité entre les deux champs sémantiques pour rendre compte de la pratique de la récriture, dans laquelle ils voient une démarche créatrice féconde et récurrente.

« Tout texte est un intertexte ; d'autres textes sont présents en lui, à des niveaux variables, sous des formes plus ou moins reconnaissables : les textes de la culture antérieure, ceux de la culture environnante ; tout texte est un tissu nouveau de citations révolues », écrit Roland Barthes en 1973 [1], indiquant que tout écrivain est d'abord un lecteur qui nourrit sa création de la culture dont il est issu.

Dix ans plus tard, un autre grand théoricien de la littérature, Gérard Genette, étudie le vaste champ de la production littéraire sur le mode de la récriture et tend à montrer que tout texte est un « palimpseste » : « Un palimpseste est un par-

---

1. Roland Barthes, article « Texte (théorie du) », *Encyclopædia universalis*, 1973.

chemin dont on a gratté la première inscription pour en tracer une autre qui ne la cache pas tout à fait, en sorte qu'on peut y lire, par transparence, l'ancien sous le nouveau. On entendra donc au figuré par palimpsestes toutes les œuvres dérivées d'une œuvre antérieure, par transformation ou par imitation [1]. » Par cette analyse, il entend montrer que la présence d'un texte dans un autre peut aller de la **citation** exacte d'un passage à la simple **allusion** (une expression ou une évocation implicite que les amateurs reconnaîtront), en passant par la **référence** (mention d'un titre par exemple). Gérard Genette définit par ailleurs les deux grands modes de récriture qu'il nomme « **imitation** » et « **transformation** », sur lesquels il propose des variations selon que l'intention de la récriture est ludique, satirique ou sérieuse. Une imitation ludique donne lieu à un pastiche, et une transformation ludique à une parodie.

La récriture caractérise l'œuvre de Raymond Jean : non seulement elle s'apparente à une continuation du roman de Flaubert, *Madame Bovary*, mais elle constitue aussi une variation sur l'ensemble de l'œuvre de l'auteur, à laquelle elle emprunte motifs et références, s'inscrivant dans un abondant réseau de récritures ludiques, prenant parfois des allures de pastiche quand Raymond Jean s'amuse à imiter le style de Flaubert.

Mais Raymond Jean n'est pas le seul à récrire Flaubert. Son roman appartient à une longue liste de variations autour de *Madame Bovary*, qui sont autant de preuves de l'inépuisable richesse de cette œuvre.

---

1. Gérard Genette, *Palimpsestes, la littérature au second degré*, Seuil, 1982.

Raymond Jean récrit Flaubert : l'art du patchwork

Nous reproduisons ici des extraits des textes de Flaubert qui sont convoqués par Raymond Jean. Ils permettent d'apprécier les différents types de récriture à l'œuvre dans *Mademoiselle Bovary* et de déterminer si les emprunts de Raymond Jean ressortissent de la citation, du pastiche, de la parodie ou de l'allusion...

Les Mémoires d'un fou (1838)

Et il y a des jours où j'ai une lassitude immense, et un sombre ennui m'enveloppe comme un linceul partout où je vais : ses plis m'embarrassent et me gênent, la vie me pèse comme un remords. Si jeune et si lassé de tout, quand il y en a qui sont vieux et encore pleins d'enthousiasme ! et moi, je suis si tombé, si désenchanté.

– Que faire ? La nuit, regarder la lune qui jette sur mes lambris ses clartés tremblantes comme un large feuillage, et, le jour, le soleil dorant les toits voisins ? – Est-ce là vivre ; non, c'est la mort, moins le repos du sépulcre.

Et j'ai des petites joies à moi seul, des réminiscences enfantines qui viennent encore me réchauffer dans mon isolement comme des reflets de soleil couchant par les barreaux d'une prison : un rien, la moindre circonstance, un jour pluvieux, un grand soleil, une fleur, un vieux meuble, me rappellent une série de souvenirs qui passent tous, confus, effacés comme des ombres. – Jeux d'enfants sur l'herbe au milieu des marguerites dans les près, derrière la haie fleurie, le long de la vigne aux grappes dorées, sur la mousse brune et verte, sous les larges feuilles, les frais ombrages. Souvenirs calmes et riants comme un souvenir du premier âge, vous passez près de moi comme des roses flétries.

Les Mémoires d'un fou (chap. VIII).

→ Voir *Mademoiselle Bovary*, de « “Dans ma jeunesse, j'étais fou » à « je le répète, j'étais fou” », p. 52.

Madame Bovary (1857)

Quel débordement, le jeudi d'après, à l'hôtel, dans leur chambre avec Léon ! Elle rit, pleura, chanta, dansa, fit monter des sorbets, voulut fumer des cigarettes, lui parut extravagante, mais adorable, superbe.

Madame Bovary (III, chap. V).

→ Voir *Mademoiselle Bovary*, de « Tenez, ceci : “Quel débordement [...]” » à « effrayée presque », p. 29.

Salammbô (1862)

Sa chevelure, poudrée d'un sable violet, et réunie en forme de tour selon la mode des vierges chananéennes, la faisait paraître plus grande. Des tresses de perles attachées à ses tempes descendaient jusqu'aux coins de sa bouche, rose comme une grenade entrouverte. Il y avait sur sa poitrine un assemblage de pierres lumineuses, imitant par leur bigarrure les écailles d'une murène. Ses bras, garnis de diamants, sortaient nus de sa tunique sans manches, étoilée de fleurs rouges sur un fond tout noir. Elle portait entre les chevilles une chaînette d'or pour régler sa marche, et son grand manteau de pourpre sombre, taillé dans une étoffe inconnue, traînait derrière elle, faisant à chacun de ses pas comme une large vague qui la suivait.

Salammbô (chap. I).

→ Voir *Mademoiselle Bovary* : « Les broderies, les franges, les glands, l'or, la soie palpitaient, scintillaient sur son corps », p. 39.

L'Éducation sentimentale (1869)

« Ses bandeaux noirs, contournant la pointe de ses grands sourcils, descendaient très bas et semblaient presser amoureusement l'ovale de sa figure. Sa robe de mousseline claire, tachetée de petits pois, se répandait à plis nombreux. Elle était en train de broder quelque chose ; et son nez droit, son menton, toute sa personne se découpait sur le fond de l'air bleu. »

L'Éducation sentimentale (III, chap. V).

→ Voir *Mademoiselle Bovary* : « Sa physionomie, ses yeux noirs ourlés de cils très fins, les bandeaux de ses cheveux, le petit chignon qui les ramenait sur sa nuque », p. 14-15.

La Tentation de saint Antoine (1874)

« Certainement, il n'y a personne dans une détresse aussi profonde ! Les cœurs charitables diminuent. On ne me donne plus rien. Mon manteau est usé. Je n'ai pas de sandales, pas même une écuelle ! – car, j'ai distribué aux pauvres et à ma famille tout mon bien, sans retenir une obole. Ne serait-ce que pour avoir des outils indispensables à mon travail, il me faudrait un peu d'argent. Oh ! pas beaucoup ! une petite somme !... je la ménagerais.

Les Pères de Nicée, en robes de pourpre, se tenaient comme des mages, sur des trônes, le long du mur ; et on les a régalés dans un banquet, en les comblant d'honneurs, surtout Paphnuce, parce qu'il est borgne et boiteux depuis la persécution de Dioclétien ! L'Empereur lui a baisé plusieurs fois son œil crevé ; quelle sottise ! Du reste, le Concile avait des membres si infâmes ! Un évêque de Scythie, Théophile ; un autre de Perse, Jean ; un gardeur de bestiaux, Spiridion ! Alexandre était trop vieux. Athanase aurait dû montrer plus de douceur aux Ariens, pour en obtenir des concessions !

« Est-ce qu'ils en auraient fait ! Ils n'ont pas voulu m'entendre ! Celui qui parlait contre moi – un grand jeune homme à barbe frisée – me lançait, d'un air tranquille, des objections captieuses ; et, pendant que je cherchais mes paroles, ils étaient à me regarder avec leurs figures méchantes, en aboyant comme des hyènes. Ah ! que ne puis-je les faire exiler tous par l'Empereur, ou plutôt les battre, les écraser, les voir souffrir ! Je souffre bien, moi ! »

Il s'appuie en défaillant contre sa cabane.

« C'est d'avoir trop jeûné ! mes forces s'en vont. Si je mangeais… une fois seulement, un morceau de viande. »

Il entreferme les yeux, avec langueur.

« Ah ! de la chair rouge… une grappe de raisin qu'on mord !… du lait caillé qui tremble sur un plat !… »

La Tentation de saint Antoine (chap. I).

→ Voir *Mademoiselle Bovary*, de « "J'ai raconté un jour une histoire bizarre" » à « "cortège grimaçant" », p. 72-73.

Trois Contes, Un cœur simple (1877)

Une lucarne au second étage éclairait la chambre de Félicité, ayant vue sur les prairies.

Elle se levait dès l'aube, pour ne pas manquer la messe, et travaillait jusqu'au soir sans interruption ; puis, le dîner étant fini, la vaisselle en ordre et la porte bien close, elle enfouissait la bûche sous les cendres et s'endormait devant l'âtre, son rosaire à la main. Personne, dans les marchandages, ne montrait plus d'entêtement. Quant à la propreté, le poli de ses casseroles faisait le désespoir des autres servantes. Économe, elle mangeait avec lenteur, et recueillait du doigt sur la table les miettes de son pain, – un pain de douze livres, cuit exprès pour elle, et qui durait vingt jours.

En toute saison elle portait un mouchoir d'indienne fixé dans le dos par une épingle, un bonnet lui cachant les cheveux, des bas gris, un jupon rouge, et par-dessus sa camisole un tablier à bavette, comme les infirmières d'hôpital.

Son visage était maigre et sa voix aiguë. À vingt-cinq ans, on lui en donnait quarante. Dès la cinquantaine, elle ne marqua plus aucun âge ; – et, toujours silencieuse, la taille droite et les gestes mesurés, semblait une femme en bois, fonctionnant d'une manière automatique.

Un cœur simple (chap. I).

→ Voir *Mademoiselle Bovary* : « Mais Félicité ne disait rien. Elle vaquait en silence à ses occupations, baissant la tête, courbant le dos, traînant ses petits pas à travers l'immense salle de travail. Se contentant de chuchoter de temps en temps, pendant qu'elle passait son plumeau sur les meubles. Elle était habituée aux folies de son maître », p. 53-54.

Bouvard et Pécuchet (1880, publication posthume)

Il monta tellement l'imagination de Bouvard, que tout de suite, ils cherchèrent dans leurs livres une nomenclature de plants à acheter ; et ayant choisi des noms qui leur paraissaient merveilleux, ils s'adressèrent à un pépiniériste de Falaise, lequel s'empressa de leur fournir trois cents tiges dont il ne trouvait pas le placement.

Ils avaient fait venir un serrurier pour les tuteurs, un quincaillier pour les raidisseurs, un charpentier pour les supports. Les formes des arbres étaient d'avance dessinées. Des morceaux de latte sur le mur figuraient des candélabres. Deux poteaux à chaque bout des plates-bandes guindaient horizontalement des fils de fer – et dans le verger, des cerceaux indiquaient la structure des vases, des baguettes en cône celle des pyramides – si bien qu'en arrivant chez eux, on croyait voir les pièces de quelque machine inconnue, ou la carcasse d'un feu d'artifice.

Les trous étant creusés, ils coupèrent l'extrémité de toutes les racines, bonnes ou mauvaises, et les enfouirent dans un compost. Six mois après, les plants étaient morts. Nouvelles commandes au pépiniériste, et plantations nouvelles, dans des trous encore plus profonds ! Mais la pluie détrempant le sol, les greffes d'elles-mêmes s'enterrèrent et les arbres s'affranchirent.

Bouvard et Pécuchet (chap. II).

→ Voir *Mademoiselle Bovary*, de « "Félicité, la petite dort" » à « soudain pensif », p. 54-55.

Dictionnaire des idées reçues (1913, publication posthume)

CHALEUR. Toujours insupportable. – Ne pas boire quand il fait chaud.

CHAMPAGNE. Caractérise le dîner de cérémonie. – Faire semblant de le détester, en disant que « ce n'est pas un vin ». – Provoque l'enthousiasme chez les petites gens. – La Russie en consomme plus que la France. – C'est par lui que les idées françaises se sont répandues en Europe. [...]

CÉLIBATAIRES. Tous égoïstes et débauchés. – On devrait les imposer. – Se préparent une triste vieillesse.

CHEMINS DE FER. Si Napoléon les avait eus à sa disposition, il aurait été invincible. – S'extasier sur leur invention et dire : « Moi, monsieur, qui vous parle, j'étais ce matin à X ; je suis parti par le train de X ; là-bas, j'ai fait mes affaires, etc., et à X heures, j'étais revenu ! »

CARABINS. Dorment près des cadavres. – Il y a [*sic*] qui en mangent.

CRAPAUD. Mâle de la grenouille. – Possède un venin fort dangereux. – Habite l'intérieur des pierres.

CROCODILE. Imite le cri des enfants pour attirer l'homme.

CRITIQUE. Toujours éminent. – Est censé tout connaître, tout savoir, avoir tout lu, tout vu. [...]

Dictionnaire des idées reçues.

→ Voir *Mademoiselle Bovary* : « "Ah, les célibataires ! Tous égoïstes et débauchés. J'ai lu ça dans un dictionnaire de ma connaissance" », p. 76.

Correspondance (lettre à George Sand, 6 février 1876)

Vous devez, chère maître, me traiter intérieurement de « sacré cochon », car je n'ai pas répondu à votre dernière lettre, et je ne vous ai rien dit de vos deux volumes, sans compter que, ce matin, j'en reçois de vous un troisième. Mais j'ai été depuis quinze jours entièrement pris par mon petit conte qui sera fini bientôt. J'ai eu plusieurs courses à faire, différentes lectures à expédier et, chose plus sérieuse que tout cela, la santé de ma pauvre nièce m'inquiète extrêmement, et par moments me trouble tellement la cervelle que je ne sais plus ce que je fais. Vous voyez que j'en avale de rudes ! Cette jeune femme est anémique au dernier point. Elle dépérit. Elle a été obligée de quitter la peinture qui est sa seule distraction. Tous les fortifiants ordinaires n'y font rien. Depuis trois jours, par les ordres d'un autre médecin qui me semble plus docte que les autres, elle s'est mise à l'hydrothérapie. Réussira-t-il à la faire digérer et dormir ? à fortifier tout son être ? Votre pauvre Cruchard s'amuse de moins en moins dans l'existence et en a même trop, infiniment trop. Parlons de vos livres, ça vaut mieux.

Correspondance.

→ Voir *Mademoiselle Bovary* : « "Oui, ma nièce", dit-il » à « "Et nous nous entendons très bien…" », p. 25, et « "Vieux cruchard ! dit-elle d'une voix douce. On n'est pas mal comme ça ?" », p. 51.

D'autres récritures de *Madame Bovary*

De nombreux auteurs contemporains se sont emparés de *Madame Bovary* pour écrire leur propre récit, développant

un épisode, offrant une suite, proposant une relecture de l'œuvre de Flaubert... Un exercice d'autant plus piquant qu'il s'agit de s'attaquer à un « monument » de la littérature ! La reprise paraît souvent ludique, audacieuse, voire iconoclaste. Certains, comme Raymond Jean, se sont intéressés au destin de Berthe... D'autres ont choisi de donner leur revanche à Charles, voire à Mme Homais ! Si le récit de Raymond Jean se démarque des autres récritures, c'est par le dialogue qu'il imagine entre l'auteur et son personnage, soulevant des questions littéraires et donnant à voir certains enjeux de la création.

La pratique du pastiche : Laura Grimaldi, *Monsieur Bovary* (1991)

Certaines récritures s'inscrivent dans le cadre du récit initial, en modifiant simplement quelques éléments, ou remplissant certains silences laissés par Flaubert pour infléchir le cours du récit.

Laura Grimaldi écrit ainsi un *Monsieur Bovary* qui, sans changer l'ordre du récit et reprenant même textuellement certains passages de *Madame Bovary*, fait de Charles un mari plus éclairé qu'on ne le croit, acteur de son destin et non pas simple cocu aveuglé. Alors qu'il est déjà amoureux d'Emma mais encore marié à la revêche veuve Dubuc, Charles décide de se débarrasser de cette première épouse encombrante pour convoler avec Emma dans des noces qu'il espère plus agréables.

Dans son roman, Flaubert réglait le sort de la veuve Dubuc en un paragraphe expéditif : « elle fut prise d'un crachement de sang, et le lendemain, tandis que Charles avait le dos tourné pour fermer la fenêtre, elle dit "ah ! mon Dieu", poussa un soupir et s'évanouit. Elle était morte ! Quel étonnement[1] ! ». De cette mort rapide et providentielle, Laura Grimaldi fait le premier des crimes d'un médecin qui n'entend pas se soumettre à son destin de mal-marié. Flaubert n'offrant pas d'explication à ce décès soudain, elle en profite pour inventer une scène digne d'un roman d'Agatha Christie :

> Un matin, Charles se leva plus tôt que d'habitude, il descendit à la cuisine et brisa un verre sur le rebord de la table. Il agissait avec concentration et sang-froid poussé par une nécessité de légitime défense. Si sa femme ne mourait pas, lui mourrait, et d'étouffement.
>
> Il choisit le tesson de verre qui lui sembla le plus approprié et il le fit glisser dans le chocolat bouillant[2] qu'il avait préparé de façon qu'il fût plus épais que de coutume. Si, pour une fois, la chance lui souriait, l'éclat de verre blesserait la carotide, entraînant une hémorragie mortelle. [...] Quand le tesson lui coupa la carotide, comme Charles l'avait espéré, elle n'écarquilla même pas les yeux, elle les dilata à peine, émettant un léger gémissement. Pour une fois, un son aimable sortait de cette gorge. Immédiatement après, un grand flot de sang inonda le drap et la chemise de nuit et continua à couler et à couler.
>
> Et la première femme de Monsieur Bovary débarrassa le plancher.
>
> Laura Grimaldi, *Monsieur Bovary* (1991), trad. Geneviève Leibrich, © Métailié, 1995, p. 28-29.

Pour Emma, seconde épouse de Charles, Flaubert donne abondance de détails sur les circonstances de son suicide.

---

1. Flaubert, *Madame Bovary*, éd. citée, p. 75.
2. Voir *ibid.*, p. 66 : « il lui fallait son chocolat tous les matins, des égards à n'en plus finir ».

Laura Grimaldi transforme pourtant l'épisode en nouveau meurtre :

Charles resta assis et attendit qu'elle revînt. Il savait très bien que sa femme ferait semblant de s'empoisonner et qu'elle avalerait seulement – à supposer qu'elle réussît à arriver jusqu'aux bocaux scellés dans lesquels Homais gardait les substances dangereuses – une dose insignifiante de n'importe quoi, prenant soin de bien la mesurer pour qu'elle ne lui fasse aucun mal. De l'arsenic avec un peu de chance. Oui, de l'arsenic. Charles en avait une certaine quantité dans son cabinet, dans un tiroir fermé à clé.

Il se leva lentement et se dirigea avec détermination vers son bureau, l'ouvrit et prépara deux cachets qu'il bourra avec la poudre blanche mortelle.

Quand Emma revint, la prunelle pleine de défi, la tête haute, les lèvres encore saupoudrées d'une substance claire, Charles demanda « qu'as-tu fait ? » mais il connaissait déjà la réponse, car la comédie, avec des variantes, s'était déjà répétée plusieurs fois entre ces murs.

« Je me suis empoisonnée ! » hurla Emma en s'effondrant dans un fauteuil.

Justin arriva aussi, en courant, la face blême « Docteur ! Docteur ! Madame a avalé une poignée d'arsenic !

– Tu l'as vue de tes propres yeux ?

– Ben... j'étais là..., elle a plongé la main dans le bocal et... elle avait le dos tourné mais je l'ai vue porter sa main à sa bouche.

– Tu ne dois pas t'inquiéter, dit M. Bovary. Je vais lui faire un lavage. Va-t'en maintenant, sinon, c'est toi qu'on accusera puisque tu es responsable des bocaux de la pharmacie. »

Quand ils furent seuls, Charles invita sa femme à se mettre au lit. Elle se leva, feignant de tituber, et murmura : oui, je veux mourir avec dignité, entre mes draps.

Quand elle se fût allongée, elle cria que la douleur était insupportable, que ses entrailles se tordaient, que c'était sûrement la fin : « tu te repentiras de m'avoir lancé ces accusations horribles », répétait-elle.

Mais Charles savait qu'elle mentait : elle avait les yeux vifs et le teint rose.

« Tiens ma chère, prends ça, dit-il en lui tendant les cachets et un verre d'eau, ça calmera la douleur. »

Laura Grimaldi, *Monsieur Bovary* (1991),
trad. Geneviève Leibrich, © Métailié, 1995, p. 102-103.

La suite du roman : Maxime Benoît Jeannin, *Mademoiselle Bovary* (1991)

À l'instar de Raymond Jean, Maxime Benoît Jeannin s'empare du personnage de Berthe pour écrire un prolongement à l'œuvre de Flaubert. Dans son roman également intitulé *Mademoiselle Bovary*, Maxime Benoît Jeannin sort la fille d'Emma de la filature de coton où elle travaille et, au terme d'aventures rocambolesques dignes des romans qu'affectionnait sa mère, la fait se retrouver dans le lit d'un Rodolphe vieillissant, ex-amant d'Emma en quête de chair fraîche. La récriture s'appuie sur des éléments précis du roman initial dont elle fait resurgir des personnages. Elle convoque aussi des éléments d'autres œuvres de Flaubert (Berthe sera instruite par deux originaux nommés Bouvard et Pécuchet) et du contexte culturel où il évoluait (Berthe croise les frères Goncourt et rencontre Baudelaire qui vient voir sa mère en Normandie)...

Après qu'il a enlevé Berthe de la maison close où il l'a trouvée, Rodolphe la laisse quelques heures seule chez lui. Puis il revient :

Mlle Bovary était encore couchée quand Rodolphe entra dans la chambre. Il posa les paquets sur le lit et ouvrit les rideaux. La jeune fille tenait une poignée de lettres sur sa poitrine ; à portée de mains se trouvait, ouverte, la boîte de biscuits de Reims [1].

Rodolphe alla s'asseoir au bord du lit, prit la main de sa maîtresse qui voulut, dans un premier mouvement, la lui refuser mais céda et sanglota contre son épaule. Lorsqu'il la sentit calmée, il arrangea les oreillers sous sa tête et dit simplement :

« Vous savez tout. »

Avant de partir pour Yonville, il avait placé la boîte sur le lit. Ainsi, c'était maintenant plus facile ; si elle avait besoin d'explications, il était prêt à lui en donner. Le plus terrible eût été de la prendre à part, de la regarder dans les yeux et de lui susurrer : « Berthe mon enfant, je vous dois la vérité, j'ai été l'amant de votre mère et j'ai fait son malheur. » Et, pour toute excuse, de répéter : « Vous ne pouvez pas comprendre [2]. » Cette calamiteuse introduction évitée, il s'attendait maintenant à des questions ; elles vinrent. Comment avait-il connu Emma ? était-elle belle ? l'avait-il vraiment aimée ? etc. Mais sans demander pourtant de quoi elle était morte. Sur ce point, Rodolphe se tint dans une réserve prudente. Pour le reste, il se répandit sur tout, sans rien celer de son attitude, et, au final, au lieu de lui apparaître comme un monstre d'égoïsme, de le détester, Berthe ne l'en aima que davantage.

---

1. Voir Flaubert, *Madame Bovary*, éd. citée, p. 284 : « il alla chercher dans l'armoire, au chevet de son lit, une vieille boîte à biscuits de Reims où il enfermait d'habitude ses lettres de femme, et il s'en échappa une odeur de poussière humide et de roses flétries ».
2. La récriture respecte ici le caractère que Flaubert donne à Rodolphe dont la lâcheté repose sur une recherche de la facilité et un refus de la culpabilité.

Mademoiselle Bovary se trouvait prête à revivre le roman de sa mère…

Maxime Benoît Jeannin, *Mademoiselle Bovary*,
© Belfond, 1991, p. 115.

La relecture : Philippe Doumenc, *Contre-enquête sur la mort d'Emma Bovary* (2007)

Décidément riche de potentialités policières, l'œuvre de Flaubert est, dans celle de Philippe Doumenc, prétexte à une enquête criminelle qui en constitue aussi une relecture. Tous les personnages du roman sont suspects et interrogés par Rémi, jeune et curieux attaché de préfecture, ancien condisciple de Charles au collège de Rouen [1].

Après l'autopsie du corps d'Emma, l'enterrement a lieu et, alors qu'on se dirige vers le cimetière :

Un instant, au coin de la rue, vêtu d'une sorte de houppelande, un jeune homme passa, apparition assez splendide si l'on peut dire. Sa haute taille, ses yeux clairs, ses longues moustaches blondes évoquaient quelque passé de guerrier viking, un ancêtre de ces villageois de Basse-Normandie. D'où diable sortait ce personnage ?

« Qui est-ce ? demanda Rémi

– Jamais je ne l'ai vu, dit Tuvache.

– Moi je sais qui c'est, fait Delevoye [2]. C'est Gustave, l'un des deux fils du professeur Achille Flaubert, le professeur à la faculté

---

1. L'auteur s'appuie ici sur le mystérieux « nous » qui prend en charge le premier chapitre de *Madame Bovary*. Il imagine donc les condisciples de Charles et donne vie à l'un d'entre eux.

2. Le policier en chef, chargé de l'enquête au début du roman.

de médecine de Rouen. Il se croit doué pour les gazettes, il veut écrire des romans, cette idée ! que fait-il ici, est-il à la recherche d'un sujet ? Un goujon la gueule toujours ouverte pour gober ce qui passe et le régurgiter à sa manière. Du monde à éviter ! »

Philippe Doumenc, *Contre-enquête sur la mort d'Emma Bovary*, © Actes Sud, 2007, rééd. coll. « Babel », 2009, p. 47.

Cette fugitive apparition de Flaubert s'accompagne, comme chez Raymond Jean, d'une réflexion critique sur la démarche d'observation sur laquelle repose le réalisme de Flaubert. On sait effectivement par sa correspondance que Flaubert se rendit à l'enterrement de la femme d'un médecin pour y trouver des éléments de son roman[1].
Puis le roman développe une enquête fondée sur la recherche d'indices, des interrogatoires et des révélations. Voici par exemple ce que le jeune Rémi entend en interrogeant Mme Homais :

Elle le regardait sans ciller.
« Faites, Monsieur.
– Voici, la dose d'arsenic qui a tué Mme Bovary provient du placard aux poisons de votre mari. Lui seul en avait la clé et peut donc être soupçonné de tout, qu'il ait fourni l'arsenic à la victime pour qu'elle se suicide, ou même, pourquoi pas, qu'il le lui ait lui-même administré. La clé du placard, m'a-t-il expliqué, ne quittait jamais son gilet où elle était attachée avec sa chaîne de montre. Puis-je vous poser cette question : la nuit, quand il se dévêt dans votre chambre, où met-il ce gilet ?
– Je ne sais pas. Sans doute sur le fauteuil à côté de notre lit.
– Donc, la nuit, la clé se trouve sur le fauteuil. Connaissez-vous cette clé ? Pouviez-vous en faire usage ? »

---

1. À Louise Colet, lettre du 6 juin 1853 (voir p. 124 de ce dossier).

Leurs deux regards se croisèrent. Quelle énergie implacable, quelle détermination habitait cette femme, d'ordinaire si molle et effacée ? Un instant, elle retint son souffle. « Monsieur, dit-elle, inutile de continuer ce jeu, j'avoue tout. Depuis longtemps je savais que mon mari entretenait une liaison coupable avec Mme Bovary. J'étais jalouse d'elle. C'est moi qui l'ai tuée. »

Philippe Doumenc, *Contre-enquête sur la mort d'Emman Bovary*, © Actes Sud, 2007, rééd. coll. « Babel », 2009, p. 124.

Et il ne s'agit pas du dernier coup de théâtre du roman !

La référence : Pierre Bergounioux, *Catherine* (1984)

À la différence des précédents, ce texte ne réinvente pas l'histoire des personnages de *Madame Bovary*. Il raconte comment un homme, terrassé par le départ de sa compagne Catherine, vit son désespoir en ermite dans sa maison de campagne et s'interroge sur lui-même en trouvant dans la lecture de Flaubert une sorte de miroir à ses interrogations, sur un mode proche souvent de l'hallucination qui met en scène, par-delà les siècles, les rapports de l'auteur à son lecteur (et non pas de l'auteur à ses personnages).

Je le sentais sans pouvoir me l'expliquer, quand je lisais ses livres tardifs, d'après 1850 : Emma, les autres aussi, Carthage, les bourgeois de Paris, les deux corniauds [1]. Il n'écrit pas pour me distraire, pour ajouter aux images que j'ai, à l'idée que je me fais de la vie un lustre supplémentaire, de nouveaux raffinements, un peu plus de lumière, des couleurs. Mais à l'inverse pour m'en défaire, pour provoquer en moi l'irruption de la nuit

1. Dans l'ordre, références à *Madame Bovary*, *Salammbô*, *L'Éducation sentimentale* et *Bouvard et Pécuchet*.

brutale, du flot sombre qui déferlent quand ma fin est là, certaine, imminente. Écrire n'était jamais pour lui qu'un long détour, une approche couverte et lente, nécessaire. Et soudain, il se dresse devant moi. Je me sens inopinément frappé d'un coup mortel. Il peut lire, dans ma grimace subite, dans mon œil stupide où la vie s'éteint qu'il est bien celui à la hauteur de quoi, vers l'âge de treize ans, il a désiré s'élever.

Pierre Bergounioux, *Catherine*,
© Gallimard, 1984, p. 41-42.

À votre tour

L'art de faire du neuf avec du vieux !

La suite de la suite : le dimanche suivant la dernière visite de Berthe à Flaubert, Napoléon Homais emmène la jeune femme en promenade dans la campagne. Imaginez leur conversation, en vous appuyant sur les éléments contenus dans les romans de Flaubert et de Raymond Jean.

Un pastiche : « Félicité ne voyait pas cela d'un très bon œil [...]. Se contentant de chuchoter de temps en temps, pendant qu'elle passait son plumeau sur les meubles » (p. 53). Que dit donc Félicité ? En vous appuyant sur le conte de Flaubert et le roman de Raymond Jean, imaginez ce que marmonne la servante. Rédigez le texte sous forme d'un récit qui fera alterner les activités de Félicité et les remarques qu'elle se fait à elle-même. Vous pouvez bien sûr faire intervenir le perroquet !

Une parodie : Loulou le perroquet a tout vu et tout entendu ! Il raconte l'épisode Berthe-Gustave de son point de vue haut perché.

Une citation : Berthe interroge Flaubert sur le choix de son prénom qui ne lui plaît pas beaucoup. Flaubert se justifie. Vous rédigerez leur dialogue en prenant soin d'y insérer une citation de *Madame Bovary* sur le sujet, extraite de la deuxième partie, chapitre III (éd. citée, p. 157). Par exemple : « D'abord elle passa en revue tous les noms qui avaient des terminaisons italiennes, tels que Clara, Louisa, Amanda, Atala ; elle aimait assez Galsuinde, plus encore Yseult ou Léocadie. »

Le procès de 1857, le procès du réalisme ?

L'année 1857 est célèbre pour la tenue de deux procès littéraires : celui dont Flaubert sort acquitté pour *Madame Bovary*, et celui dont Baudelaire sort condamné pour *Les Fleurs du mal*. Dans les deux cas, c'est le réalisme cru des ouvrages qui est incriminé.

Flaubert est jugé alors que son roman paraît, comme il est d'usage à l'époque, par fragments dans la *Revue de Paris*. Le gouvernement de Napoléon III surveille de près ce journal qui professe des idées républicaines. Ses directeurs sont donc prudents et, souhaitant que la publication de *Madame Bovary* assure un succès populaire à la revue, demandent à Flaubert de couper certaines scènes. Mais l'écrivain, qui s'est consacré cinq ans à ce roman, refuse. Contre son avis, les directeurs de la revue suppriment la fameuse scène du fiacre, dont ils craignent qu'elle fasse l'objet d'une censure. Menaçant de porter l'affaire devant le tribunal, Flaubert obtient que des notes de protestation soient insérées dans le journal.

Ces différends, rendus publics, attirent certainement l'attention du ministère de l'Intérieur, chargé de surveiller les périodiques, et une enquête est ouverte fin 1856. Flaubert prend un avocat et fait jouer ses relations pour mener à bien la défense de son roman.

L'écrivain comparaît à partir du 29 janvier 1857 devant la sixième chambre du tribunal correctionnel de la Seine, pour « outrage à la morale publique et religieuse et aux bonnes mœurs ».

Les actes du procès de *Madame Bovary* ont une forte présence dans *Mademoiselle Bovary*. Le personnage de Flaubert va les chercher dans une armoire et s'enflamme en lisant des extraits de sa défense, au point de faire peur à Berthe. Des extraits du procès sont ainsi mis en scène dans le roman (p. 67-69). Par cet artifice, Raymond Jean permet à Flaubert d'assouvir ses désirs de théâtre jamais réalisés (voir note 3, p. 63). La scène qu'il imagine, ouvertement parodique, ridiculise les accusateurs de Flaubert (incarnés par le perroquet !) qui entendent censurer l'œuvre au nom d'une morale fondée sur des lieux communs pudibonds que Flaubert exècre. Dans *Madame Bovary*, c'est la mère de Charles qui représente cette petite bourgeoisie étroite d'esprit pour laquelle la lecture est une activité malsaine et qui s'emporte contre « des ouvrages qui sont contre la religion et dans lesquels on se moque des prêtres par des discours tirés de Voltaire ». Madame Bovary mère est prête à « avertir la police si le libraire persist[e] quand même dans son métier d'empoisonneur[1] ». Fidèle à l'esprit de son prédécesseur, Raymond Jean conclut son roman par deux représentants de cette bonne conscience inculte et grossière qui frémit au moment où Berthe met un livre dans son petit bagage : « Un livre ! dit l'Inspecteur. Attention ! » (p. 85). Car Flaubert écrit à une époque où l'on se méfie des livres.

1. Éd. citée, p. 199.

« La parole est à l'accusation »

Lors du procès de *Madame Bovary*, s'appuyant sur une lecture précise et documentée du roman, le procureur Ernest Pinard en dénonce l'immoralité qu'il attribue à un réalisme dépourvu de point de vue extérieur :

Qui peut condamner cette femme dans le livre ? Personne. Telle est la conclusion. Il n'y a pas dans le livre un personnage qui puisse la condamner. Si vous y trouvez un personnage sage, si vous y trouvez un seul principe en vertu duquel l'adultère soit stigmatisé, j'ai tort. Donc, si dans tout le livre, il n'y a pas un personnage qui puisse lui faire courber la tête, s'il n'y a pas une idée, une ligne en vertu de laquelle l'adultère soit flétri, c'est moi qui ai raison, le livre est immoral !

Serait-ce au nom de l'honneur conjugal que le livre serait condamné ? Mais l'honneur conjugal est représenté par un mari béat, qui, après la mort de sa femme, rencontrant Rodolphe, cherche sur le visage de l'amant les traits de la femme qu'il aime (liv. du 15 décembre, p. 289). Je vous le demande, est-ce au nom de l'honneur conjugal que vous pouvez stigmatiser cette femme, quand il n'y a pas dans le livre un seul mot où le mari ne s'incline devant l'adultère.

Serait-ce au nom de l'opinion publique ? Mais l'opinion publique est personnifiée dans un être grotesque, dans le pharmacien Homais, entouré de personnages ridicules que cette femme domine.

Le condamnerez-vous au nom du sentiment religieux ? Mais ce sentiment, vous l'avez personnifié dans le curé Bournisien, prêtre à peu près aussi grotesque que le pharmacien, ne croyant qu'aux souffrances physiques, jamais aux souffrances morales, à peu près matérialiste.

Le condamnerez-vous au nom de la conscience de l'auteur ? Je ne sais pas ce que pense la conscience de l'auteur ; mais, dans son chapitre X, le seul philosophique de l'œuvre, livr. du 15 décembre, je lis la phrase suivante :

« Il y a toujours après la mort de quelqu'un comme une stupéfaction qui se dégage, tant il est difficile de comprendre cette survenue du néant et de se résigner à y croire. »

Ce n'est pas un cri d'incrédulité, mais c'est du moins un cri de scepticisme. Sans doute il est difficile de le comprendre et d'y croire, mais enfin pourquoi cette stupéfaction qui se manifeste à la mort ? Pourquoi ? Parce que cette survenue est quelque chose qui est un mystère, parce qu'il est difficile de le comprendre et de le juger, mais il faut s'y résigner. Et moi je dis que si la mort est la survenue du néant, que si le mari béat sent croître son amour en apprenant les adultères de sa femme, que si l'opinion est représentée par des êtres grotesques, que si le sentiment religieux est représenté par un prêtre ridicule, une seule personne a raison, règne, domine : c'est Emma Bovary. Messaline a raison contre Juvénal.

Voilà la conclusion philosophique du livre, tirée non par l'auteur, mais par un homme qui réfléchit et approfondit les choses, par un homme qui a cherché dans le livre un personnage qui pût dominer cette femme. Il n'y en a pas. Le seul personnage qui y domine, c'est madame Bovary.

La lecture du procureur révèle une certaine finesse. Il pointe en particulier le procédé de l'impersonnalité : l'auteur n'intervient jamais dans son œuvre pour juger la conduite de ses personnages, et il n'a pas pris la peine d'y introduire une figure positive qui aurait été le porte-parole de la morale commune.

« La parole est à la défense »

L'avocat Jules Senard plaide au contraire pour la valeur exemplaire de la fin tragique du roman. Les arguments de l'avocat permettent à Flaubert d'être acquitté. Cependant, on peut aujourd'hui les trouver assez conventionnels (ils reposent sur une légitimité édifiante de la littérature) et bourgeois (Jules Senard s'appuie en particulier sur la moralité bien connue de la famille de Flaubert). Il prend le parti de défendre l'œuvre au nom du réalisme, comme le prouve l'extrait ci-dessous :

Ce livre est écrit avec une puissance vraiment remarquable d'observation dans les moindres détails. [...] Ce qui a saisi dans le livre de M. Flaubert, c'est ce que quelques comptes rendus ont appelé une fidélité toute daguerrienne [1] dans la reproduction du type de toutes les choses, dans la nature intime de la pensée, du cœur humain – et cette reproduction devient plus saisissante encore par la magie du style. Remarquez bien que s'il n'avait appliqué cette fidélité qu'aux scènes de dégradation, vous pourriez dire avec raison : l'auteur s'est complu à peindre la dégradation avec cette puissance de description qui lui est propre. De la première à la dernière page de son livre, il s'attache sans aucune espèce de réserve à tous les faits de la vie d'Emma, à son enfance dans la maison paternelle, à son éducation dans le couvent, il ne fait grâce de rien. Mais ceux qui ont lu comme moi du commencement à la fin, diront – chose notable dont vous lui saurez gré, qui non seulement sera l'absolution pour lui, mais qui aurait dû écarter de lui toute espèce de poursuite – que, quand il arrive aux parties difficiles, précisément à la dégradation, au lieu de faire comme quelques auteurs classiques que le ministère public connaît bien, mais qu'il a oubliés pendant qu'il écrivait son réquisitoire et dont j'ai apporté ici des passages, non pas pour vous les lire, mais pour que vous les parcouriez dans la chambre du conseil (j'en citerai quelques lignes tout à l'heure),

1. Qui tient du daguerréotype, ancêtre de la photographie.

au lieu de faire comme nos grands auteurs classiques, nos grands maîtres, qui, lorsqu'ils ont rencontré des scènes de l'union des sens chez l'homme et la femme, n'ont pas manqué de tout décrire, M. Flaubert se contente d'un mot. Là, toute sa puissance descriptive disparaît, parce que sa pensée est chaste, parce que là où il pourrait écrire à sa manière et avec toute la magie du style, il sent qu'il y a des choses qui ne peuvent pas être abordées, décrites. Le ministère public trouve qu'il a trop dit encore. Quand je lui montrerai des hommes qui, dans de grandes œuvres philosophiques, se sont complu à la description de ces choses, et qu'en regard je placerai l'homme qui possède la science descriptive à un si haut degré et qui, loin de l'employer, s'arrête et s'abstient, j'aurai bien le droit de demander raison à l'accusation qui est produite.

Toutefois, messieurs, de même qu'il se plaît à nous décrire le riant berceau où se joue Emma encore enfant, avec son feuillage, avec ses petites fleurs roses ou blanches qui viennent de s'épanouir, et ses sentiers embaumés ; – de même, quand elle sera sortie de là, quand elle ira dans d'autres chemins, dans des chemins où elle trouvera de la fange, quand elle y salira ses pieds, quand les taches mêmes rejailliront plus haut sur elle, il ne faudrait pas qu'il le dît ! Mais ce serait supprimer complètement le livre, je vais plus loin : l'élément moral, sous prétexte de le défendre, car si la faute ne peut pas être montrée, si elle ne peut pas être indiquée, si dans un tableau de la vie réelle qui a pour but de montrer par la pensée le péril, la chute, l'expiation, si vous voulez empêcher de peindre tout cela, c'est évidemment ôter au livre sa conclusion.

Le jugement est rendu huit jours après le procès, le 7 février 1857. Flaubert est acquitté, mais blâmé pour son « réalisme vulgaire et souvent choquant ». Le roman peut alors paraître en librairie, sans coupures, quelques semaines plus tard. Au final, ce procès a été considéré comme celui du réalisme (**voir doc. 8, p. 124**, un extrait de la correspondance de Flaubert dont on peut considérer qu'il est une défense de ce réalisme par l'auteur).

À votre tour

La question de la moralité

***Napoléon Homais ou la défense de la* « *morale publique* »** : à la fin du roman de Raymond Jean, un « inspecteur du Secours Mutuel » et une « religieuse » viennent chercher Berthe. Leur informateur serait Napoléon Homais qui aurait envoyé une lettre au premier. Comme avait coutume de le faire Homais père dans le roman de Flaubert, Napoléon Homais prendrait prétexte de son devoir civique pour parvenir à des fins personnelles. Rédigez la missive dans laquelle le jeune homme veille à ménager une bonne conscience de façade tout en faisant référence au passé familial de Berthe.

***Flaubert et l'*« *outrage aux bonnes mœurs* »** : la religieuse décide d'éclaircir l'affaire et s'entretient avec Félicité à l'insu de son maître. En respectant les caractères des personnages, rédigez le dialogue au cours duquel la religieuse tâche de comprendre les liens qui unissent Flaubert à Berthe.

À Louise Colet

[Croisset,] nuit de lundi, minuit et demi
[6 juin 1853]

[…] Je suis sûr que ce sera demain d'un dramatique très sombre et que ce pauvre savant sera lamentable. Je trouverai là peut-être des choses pour ma Bovary. Cette exploitation à laquelle je vais me livrer, et qui semblerait odieuse si on en faisait la confidence qu'a-t-elle donc de mauvais ? J'espère faire couler des larmes aux autres avec ces larmes d'un seul, passer ensuite à la chimie du style. Mais les miennes seront d'un ordre de sentiment supérieur. Aucun intérêt ne les provoquera et il faut que mon bonhomme (c'est un médecin aussi) vous émeuve pour tous les veufs. Ces petites gentillesses-là, du reste, ne sont pas besogne neuve pour moi et j'ai de la méthode en ces études. Je me suis moi-même franchement disséqué au vif en des moments peu drôles. Je garde dans des tiroirs des fragments de style cachetés à triple cachet et qui contiennent de si atroces procès-verbaux que j'ai peur de les rouvrir, ce qui est fort sot du reste, car je les sais par cœur.

• **Doc. 8** : lettre de Flaubert à Louise Colet.

Les petits livres qui font les grands lecteurs

Dans la même collection

ÉTONNANTISSIMES

Douze Ans dans l'esclavage

Solomon Northup

Solomon Northup est né libre. Dans l'État de New York où l'esclavage n'a pas cours, cet artisan et violoniste noir mène une vie paisible. Jusqu'à ce jour de 1841 où deux artistes le persuadent de les accompagner à Washington pour se produire dans leur spectacle… Le lendemain, il se réveille dépouillé de ses papiers, enchaîné et enfermé au fond d'une négrerie. Il comprend avec stupéfaction qu'on l'a kidnappé pour le vendre comme esclave…

Le récit qui a inspiré le film aux trois oscars de Steve McQueen (*12 Years a Slave*), en 2013.

Tout va pour le mieux ! (Inédit)

Alain Monnier

Débordant de certitudes et de diplômes, Benjamin sort d'une grande école de commerce avec tout pour réussir sa vie. Sauf que les lois du marketing ne servent à rien quand il s'agit de séduire Astrid, la fille la plus convoitée du campus. Tout se complique encore pour lui quand, du jour au lendemain, ses parents lui coupent les vivres ! Mais, comme dit le coach de Benjamin, « À toute chose malheur est bon ! » : c'est l'occasion pour le jeune homme de se projeter enfin dans le monde du travail, une belle école de vie…

Avec *Tout va pour le mieux !*, Alain Monnier transpose les aventures du Candide de Voltaire à notre époque dans un récit d'apprentissage désopilant.

Mise en page par Meta-systems
59100 Roubaix

N° d'édition : L.01EHRN000401.N001
Dépôt légal : mai 2015
Imprimé en Espagne par Novoprint (Barcelone)